# LA CUISINE DES ENFANTS

KÖNEMANN

L'éditeur tient à remercier :

Accoutrement Cookshops
Butler and Co. Kitchen Homewares
Corso De 'Fiori
House & Garden
Anna Merchant
Mosmania
My Shop Ceramics
Linden and Sheridan Pride
St John Ambulance
Villeroy and Boch

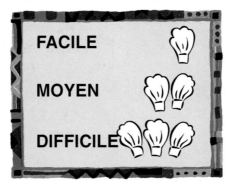

Toutes les recettes de ce livre peuvent être réalisées
par un enfant seul ou assisté par un adulte.
Toutes les recettes pour micro-ondes ont été testées dans
un four à micro-ondes de 600 à 700 Watts
Chacune des recettes a été présentée
pour que cuisiner reste simple et amusant.

**FACILE**

**MOYEN**

**DIFFICILE**

Les recettes sont classées par ordre de difficulté.
Si tu es un vrai débutant commence par celles
qui n'ont qu'une toque, avec un peu d'expérience
tente celles qui ont deux toques et dès que tu
sauras bien cuisiner essaye les recettes à trois
toques.

*Photo de couverture: Galette de poisson ( p. 44) présentée sur un petit pain aux*
*sésame avec de la salade et du fromage, accompagnée de frites cuites au four.*
*Café frappé (p. 20).*
*4ᵉ de couverture : Gâteau d'anniversaire (p.93)*

# SOMMAIRE

La cuisine c'est drôle mais avant de commencer, prends ton temps pour t'organiser. Tout d'abord, lis attentivement et jusqu'au bout la recette que tu as choisi de réaliser, tu peux ainsi vérifier qu'il ne te manque aucun ingrédient.

Rassemble alors à portée de main les ustensiles et les ingrédients nécessaires.

Si tu dois utiliser le four, allume-le à la température demandée avant de commencer à cuisiner.

Avant d'allumer, assure-toi que les grilles ou les plaques du four sont placées à la bonne hauteur.

Si pour réaliser ta recette tu dois couper ou râper des aliments, fais-le avant de commencer à cuisiner.

Ouvre toutes les boîtes de conserve et lave les légumes ou les fruits dont tu auras besoin.

Beurre les plats ou les moules que tu vas utiliser.

Le déroulement des recettes est présenté étape par étape pour en simplifier la réalisation.

Finis bien une étape avant de te lancer dans la suivante !

## LES RÈGLES D'OR DE LA CUISINE

*Quelques petits conseils et astuces pour que cuisiner reste sans danger et drôle.*

✔ Attention, n'entreprends rien en cuisine sans l'aide ou la permission d'un adulte.

✔ Avant de commencer, lave-toi bien les mains à l'eau et au savon. Protège tes vêtements avec un tablier et tes pieds en portant des chaussures bien couvrantes et à semelles antidérapantes.

✔ Rassemble tous les ingrédients et les ustensiles dont tu auras besoin pour réaliser facilement ta recette avant de commencer.

✔ Attention aux couteaux ! Si tu n'as pas la permission de les utiliser, fais-toi aider par un adulte pour découper les aliments. Sers-toi d'une planche à découper. Sois bien attentif à toujours prendre tes couteaux par leurs manches et non par leurs lames ! Garde tes doigts à distance de la lame lorsque tu coupes tes ingrédients ou que tu laves les couteaux.

✔ Dès que tu as fini de t'en servir, n'oublie pas de les ranger hors d'atteinte des plus petits !

✔ Enfile un gant isolant avant de mettre ou de sortir les plats du four. N'oublie pas que les plats et les aliments gardent leur chaleur de cuisson pendant un bon moment, même hors du four !

✔ Lorsque tu cuisines, place toujours les casseroles avec le manche sur le côté, cela t'évitera de les renverser. Pour tourner tes sauces sans risque, tiens fermement le manche de ta casserole et surtout utilise des cuillères en bois. Les ustensiles en métal absorbent la chaleur des aliments !

✔ Pose tes plats chauds sur une planche en bois ou un dessous de plat, jamais directement sur la table de cuisine, à moins qu'elle ne soit carrelée.

✔ Si tu utilises des mixeurs ou tout autre appareil électrique fais-le loin de l'eau et surtout sèche-toi bien les mains avant de les brancher ou de les débrancher !

✔ Attention à ne pas passer ton bras au-dessus des casseroles ou des poêles sur le feu, la vapeur qui s'en dégage peut te brûler !

✔ N'oublie pas d'éteindre le four ou la cuisinière dès que tu as fini de t'en servir.

✔ Dès que tu as fini, il faut bien sûr tout de suite nettoyer et ranger la cuisine ! Remettre les ingrédients et les ustensiles utilisés à leur place et pour cela tout d'abord faire la vaisselle en commençant par les éléments les plus fragiles (bols et saladiers) et finir par les poêles et les moules à gâteaux qui sont généralement bien gras ! Sèche bien le tout avant de ranger ! Laisse ta cuisine bien propre, tu auras j'en suis sûre l'autorisation d'y cuisiner à nouveau !

### Premiers gestes en cas de brûlures

*Si la brûlure n'est pas trop grave, passe les parties blessées sous l'eau froide pendant au moins dix minutes. Installe la personne blessée confortablement, mais attention si la brûlure te semble trop grave surtout ne la bouge pas. Les parties brûlées ou ébouillantées doivent être protégées des risques d'infections; recouvre les avec de la gaze oxygénée ou un tissu de coton propre. Ne touche pas directement les parties brûlées ou ébouillantées. N'essaye pas de décoller les vêtements s'ils adhèrent à la plaie.*

*Si tu vois quelqu'un dont les vêtements brûlent, attrape un manteau, une couverture ou un tapis et en le tenant devant toi, enveloppes la personne blessée dedans. Ensuite étends-la sur le sol. Éteins les flammes s'il y a lieu.*

*En cas de blessures graves, appelle les services de secours immédiatement.*

## LES USTENSILES DE CUISINE

*Il existe beaucoup d'ustensiles en cuisine pour t'aider à réaliser les recettes de ce livre plus facilement Il y a des cuillères de bois et métal pour remuer les aliments, des spatules pour mélanger les ingrédients, des bols de toutes tailles pour contenir les mélanges, des passoires plus ou moins fines pour tamiser, égoutter et rincer les aliments, un assortiment de casseroles et de moules à gâteaux et à tartes de toutes tailles pour cuisiner toutes sortes de plats, des grilles de four sur lesquelles tu peux faire refroidir les tartelettes, les biscuits et les cookies, différentes spatules de métal pour t'aider à mesurer, saupoudrer les ingrédients ou étaler un glaçage sur les aliments.*

*Les recettes de ce livre se réalisent à l'aide des ustensiles les plus utilisés dans n'importe quelle cuisine! Mais si tu as un doute sur l'ustensile qu'il te faut, n'hésite pas à demander un conseil ou de l'aide à un adulte!*

## QUELQUES PETITS MOTS TECHNIQUES

**BATTRE :** Pour battre il faut tourner très fort les aliments avec une cuillère ou dans un mixeur jusqu'à ce qu'ils soient bien mélangés et lisses.

**PORTER A EBULLITION :** Se dit quand un liquide bouillonne de façon constante; que de grosses bulles éclatent à la surface et qu'en même temps de la vapeur se dégage de la casserole.

**HACHER MENU :** Cela consiste à couper les aliments en aussi petits morceaux que possible.

**EGOUTTER :** Extraire quelque chose d'un liquide en se servant d'une passoire ou d'un tamis (l'exemple le plus simple est celui des spaghettis).Il vaut mieux effectuer cette opération au-dessus d'un évier pour que l'eau s'écoule dedans. Demande à un adulte de t'aider car souvent les casseroles pleines d'eau chaude sont lourdes et dangereuses !

**RAPER :** On frotte l'aliment sur une râpe au dessus d'une assiette ou d'un papier sulfurisé. Tiens la râpe fermement d'une main et frotte l'aliment de bas en haut. Vérifie la largeur des trous sur ta râpe suivant le résultat dont tu as besoin pour ta recette. Attention au bout de tes doigts !

**BEURRER UN MOULE OU UN PLAT :** Il faut enduire de beurre, d'huile ou de margarine les plats ou les moules; cela empêche les aliments de coller lors de la cuisson.

**PRESSER :** Ecraser à la fourchette ou passer au presse-purée des aliments pour en faire de la purée justement !

**SEPARER UN ŒUF :** Cette opération consiste à séparer le blanc du jaune d'œuf. D'une main tiens l'œuf sur une petite assiette et à l'aide d'une fourchette ou d'une spatule de métal brise la coquille. Pose un verre sur le jaune d'œuf et laisse le blanc s'écouler dans un bol. Si jamais un peu de jaune se mêlait à ton blanc tu peux facilement le récupérer grâce à un morceau de coquille.

**MIJOTER :** Cuire les aliments à feu doux. On laisse frémir la préparation,

elle doit faire des petites bulles mais ne pas bouillir. Si parfois dans une recette on te demande de faire bouillir puis ensuite de laisser mijoter il te suffit de baisser le feu à son point minimum.

**EMINCER :** Couper les aliments en tranches ou rondelles très fines et régulières, par exemple des tranches de pommes ou des rondelles de carottes.

**TOURNER :** Mélanger délicatement des ingrédients que tu rajoutes au fur et à mesure pour bien les lier dans un bol ou directement dans une casserole.

## ALIMENTS DÉJÀ CUITS

*Dans certaines des recettes proposées dans ce livre tu auras besoin de riz cuit, de pâtes, de légumes ou de purée de légumes. S'il n'en reste pas suffisamment dans ton réfrigérateur il te faudra les préparer avant de commencer ta recette. Voici un petit guide à suivre, en cas de doute tu peux toujours demander de l'aide à un adulte.*

### POUR CUIRE LE RIZ OU LES PATES

Mets de l'eau à bouillir dans une grande casserole (Il te faut 2 litres d'eau pour 500 grammes de pâtes.) Ajoute une cuillère à soupe d'huile dans l'eau. Pour obtenir 2½ tasses de riz ou de pâtes cuits, il te faut 1 tasse de riz ou de pâtes crus. Verse le riz ou les pâtes dans l'eau bouillante, remue doucement et laisse cuire pendant 8 à 12 minutes. Il vaut mieux que tu demandes l'aide d'un adulte pour égoutter les pâtes ou le riz dans l'évier car les casseroles pleines d'eau sont à la fois lourdes et dangereuses. Pour les plats chauds le riz et les pâtes se servent immédiatement, mais si tu les utilises pour des plats froids rince-les à l'eau froide et laisse-les refroidir avant de les mélanger.

*Ajoute l'huile à l'eau bouillante.*

*Verse les pâtes dans l'eau bouillante et remue.*

### POUR CUIRE DES LÉGUMES :

Lave soigneusement tes légumes, épluche-les si nécessaire et découpe-les. Fais bouillir de l'eau dans une grande casserole et plonges-y doucement tes légumes.
Laisse-les cuire jusqu'à ce qu'ils soient juste tendres, en cas de doute demande à un adulte de les goûter et surtout de t'aider à les égoutter. Pour la purée de pommes de terre ou de potiron, les légumes doivent cuire un peu plus longtemps, égoutte-les soigneusement. Mets-les dans un bol où tu les écrases à la fourchette ou passe-les au presse-purée jusqu'à la consistance désirée.

*Coupe tes légumes en morceaux.*

*Egoutte tes légumes dans une passoire.*

*Utilise un presse-purée pour écraser tes légumes.*

## PESER, MESURER

Bien respecter les mesures données pour chaque recette est une garantie de leur réussite.

Pour t'aider à bien le faire tu auras besoin d'un assortiment de tasses, elles sont généralement au nombre de 4, 1 dose d'une tasse, ½ tasse, ⅓ de tasse et ¼ de tasse. Elles s'utilisent surtout pour la mesure des ingrédients comme la farine et le sucre. Il te faudra également un verre gradué pour mesurer les liquides, il est généralement muni d'un bec verseur qui t'aidera à transvaser les liquides et de lignes qui t'indiquent les différents niveaux dont tu peux avoir besoin. Tu t'en serviras pour mesurer le lait, l'eau et tous les jus de fruits. Tu auras aussi besoin de cuillères-doses pour mesurer de petites quantités, elles sont comme les tasses au nombre de 4: 1 cuillère à soupe, 1 cuillère à café, ½ cuillère à café et ¼ de cuillère à café.

### MESURES DES LIQUIDES

Verse peu à peu ton ingrédient liquide dans le verre gradué, placé sur une table, baisse-toi pour bien voir les niveaux de mesures atteint. Suivant ce dont tu as besoin dans ta recette il te faudra peut-être ajouter ou enlever un peu de ton liquide.

### MESURES DES MATIERES SECHES

Il est vraiment très important de bien respecter les tailles de tasses indiquées dans tes recettes, surtout si il s'agit de mesures pour réaliser des gâteaux ou de petits biscuits. Une fois ta «tasse-mesure» pleine enlève le superflu à l'aide d'une cuillère ou d'une spatule de métal. Il vaut mieux faire ce genre d'opération au-dessus d'un saladier ou d'un papier sulfurisé pour éviter de salir et d'en mettre partout!

Certaines recettes font appel à tes dons en math! Par exemple si tu as besoin de ⅔ de tasse de farine, utilises la mesure ⅓ de tasse deux fois.

Le sucre roux fait partie des matières sèches, mais comme il est parfois un peu humide et collant, il faut bien le presser dans la tasse-mesure pour obtenir la quantité nécessaire.

## LES CUILLERES A DOSES

Les cuillères à doses sont bien évidemment des cuillères différentes de celles que tu utilises pour manger, comme les tasses dont nous avons parlé tu peux en trouver dans certaines grandes surfaces, elles se vendent en assortiment de 4 doses qui servent essentiellement à mesurer des petites quantités de matières liquides et sèches.

Pour les liquides, choisis la taille de cuillère correcte et verse doucement dans son cuilleron, il vaut mieux faire ce genre d'opération au-dessus d'un bol.

Pour la mesure des matières sèches, sélectionne la dose correcte et verse ton ingrédient en tassant bien, aide-toi d'une spatule pour enlever le trop-plein.

## BEURRE ET MARGARINE :

Les mesures du beurre et de la margarine sont généralement données en grammes. Sur certaines plaques de beurre tu trouveras à l'intérieur des repères dont tu peux te servir pour couper au couteau ta plaquette suivant tes besoins. Mais tu peux aussi utiliser une balance de ménage pour peser le beurre et la margarine.

# CHAPITRE UN

# Gourmandises

Amusantes et faciles à réaliser,
tu pourras les partager avec tes amis ou ta famille,
ce sont des recettes succulentes pour le goûter
ou les petits creux du week-end !

# TOAST AU FROMAGE

## POUR 6 PERSONNES

1 tasse de fromage râpé
(mimolette ou gruyère selon
tes goûts)

2 c. à soupe de chutney
(condiment anglo-
indien, rayon exotique)

1 c. à soupe d'oignon haché

1 c. à soupe de sauce tomate

1 c. à café de sauce
Worcestershire

25 g de beurre

6 tranches de pain de mie
complet

**1** Verse ton fromage râpé dans un saladier.

**2** Ajoute le chutney, l'oignon, la sauce tomate et la sauce Worcestershire.

**3** Fais fondre le beurre dans une petite casserole. Verse-le dans le saladier.

**4** Allume le four, sur gril, thermostat 7.

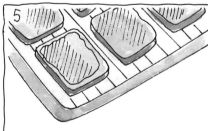

**5** Fais griller le pain jusqu'à ce qu'il soit doré d'un seul côté.

**6** Tartine de préparation au fromage le côté qui n'est pas grillé.

**7** Mets tes toasts sur la grille jusqu'à ce que le fromage soit bien fondu.

**8** Coupe en triangle et sers tout de suite.

*Avant la merveilleuse invention du grille-pain électrique et automatique, pour griller le pain il fallait le maintenir au bout d'une fourchette à long manche au-dessus d'un feu vif. Très souvent le résultat obtenu était plutôt des doigts brûlés et des toasts fumés!!!*

# TOAST A LA CANNELLE

*POUR 6 PERSONNES*

6 c. à soupe de sucre en poudre
2 c. à soupe de cannelle
6 belles tranches de pain de mie
Du beurre

**1**

Mets tout le sucre dans un grand bol.

**2**

Ajoute la cannelle et mélange bien.

**3**

Mets les tranches de pain de mie dans le grille-pain.

**4**

Il faut que le pain soit bien doré.

**5**

Beurre les toasts tout de suite.

**6**

Saupoudre les de ton mélange sucre/cannelle.

**7**

Découpe les toasts en triangles et sers les.

**8**

Range ce qu'il reste de ton mélange sucre/cannelle dans un pot fermé, tu pourras t'en servir une autre fois.

# TOAST À L'AIL

POUR 4 PERSONNES

25 g de beurre
1 c. à café d'ail écrasé
6 tranches fines de pain
  complet
Sel

**1** Préchauffe le four à 150°.

**2** Fais fondre le beurre à feu doux.

**3** Verse et mélange l'ail écrasé.

**4** Tartine tes tranches de pain complet avec ce mélange.

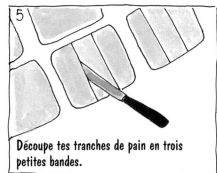

**5** Découpe tes tranches de pain en trois petites bandes.

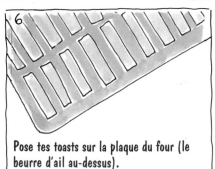

**6** Pose tes toasts sur la plaque du four (le beurre d'ail au-dessus).

**7** Laisse dorer 30 min.

**8** Sers bien chauds avec de la soupe.

# CRÈME À L'OIGNON

**POUR 6 - 8 PERSONNES**

1 sachet de 45 g de soupe
à l'oignon
2 de c. à soupe de vinaigre
¾ de tasse de fromage frais
crémeux
1 tasse de yaourt entier nature
3 c. à soupe de persil haché

1

Verse ton sachet de soupe dans un bol.

2

Ajoute le vinaigre et mélange.

3

Laisse reposer 30 min.

4

Ajoute et mélange le fromage frais.

5

Ajoute le yaourt et mélange bien le tout.

6

Saupoudre de persil haché et couvre.

7

Laisse dans le réfrigérateur.

8

Sers bien frais
avec des chips et des crackers.

17

*POUR 4 PERSONNES*

2 petits pains ronds pour
   hamburgers
30 g de beurre fondu
¼ de tasse de sauce tomate
12 fines tranches de salami

8 tranches de fromage à faire
   fondre (de 5 cm de long sur
   2 cm de large)
1 c. à café d'origan séché

**1**
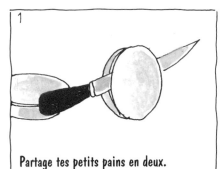
Partage tes petits pains en deux.

**2**

Tartine-les de beurre fondu.

**3**
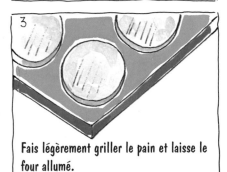
Fais légèrement griller le pain et laisse le
four allumé.

**4**

Tartine tes petits pains avec la sauce
tomate.

**5**
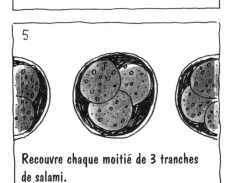
Recouvre chaque moitié de **3** tranches
de salami.

**6**
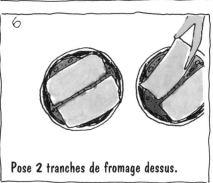
Pose **2** tranches de fromage dessus.

**7**

Saupoudre d'origan.

**8**

Remets le tout au four jusqu'à ce que
le fromage soit bien fondu.

## POUR 6 PERSONNES

2 c. à café de café en poudre
2 c. à soupe de sucre en
  poudre
¾ de tasse d'eau chaude
½ c. à café de cannelle
4 tasses de lait froid
6 boules de glace à la vanille
Chocolat en poudre

1

Fais fondre le café et le sucre dans l'eau chaude.

2

Verse dans un bol et ajoute la cannelle et le lait.

3

Ajoute le chocolat en poudre et mélange bien le tout.

4

Laisse bien refroidir au réfrigérateur.

5

Travaille le mélange au fouet jusqu'à ce qu'il mousse.

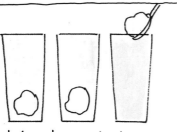

6

Prends 6 grands verres et mets une boule de glace dans chacun.

7

Verse le mélange dans chaque verre.

8

Sers tout de suite avec une paille.

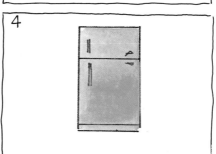

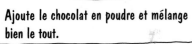

# MILK-SHAKE À LA BANANE

**POUR 3 PERSONNES**
45 cl de lait
1 banane de taille moyenne
1 c. à soupe de miel
1 œuf
2 c. à soupe de yaourt goût
   banane
2 boules de glace à la vanille
2 glaçons

1

Verse le lait dans le mixeur.

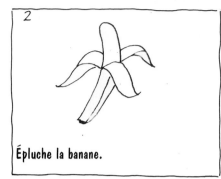
2

Épluche la banane.

3

Coupe la banane en rondelles et mets-les dans le mixeur.

4

Verse ensuite le miel, l'œuf et le yaourt à la banane.

5

Rajoute la glace et les glaçons.

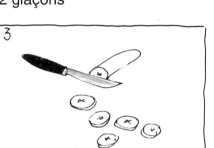
6

Mets le couvercle et mélange bien, le milk-shake doit être onctueux.

7

Verse le mélange dans trois grands verres.

8

Sers tes milk-shakes avec des pailles.

# SIROP DE CITRON

*POUR EN FAIRE UN LITRE*

4 gros citrons
4 tasses de sucre
3 tasses d'eau
3 c. à café d'extrait de citron

**1**

Presse les 4 citrons (tu obtiens à peu près une tasse de jus).

**2**

Verse le jus dans une grande casserole et ajoute le sucre.

**3**

Verse l'eau et 2 cuillerées d'extrait de citron.

**4**

Fais bouillir le tout.

**5**

Laisse bouillir 10 min à feu moyen.
**ATTENTION :** à feu moyen !

**6**

Laisse refroidir un instant.

**7**

Ajoute la dernière cuillerée d'extrait de citron et mélange.

**8**

Verse le tout dans des bouteilles propres et qui ferment hermétiquement.

Pour boire, mélange avec de l'eau.

# PUNCH AUX FRUITS

**POUR 10 PERSONNES**

1,30 l de jus d'orange
425 g de salade de fruits en
    conserve
1 orange
1 citron
750 ml de limonade réfrigérée

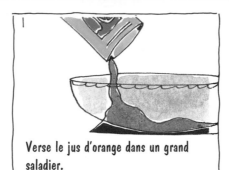

**1**

Verse le jus d'orange dans un grand saladier.

**2**

Ajoute toute la boîte de salade de fruits.

**3**

Presse l'orange.

**4**

Verse le jus dans le saladier.

**5**

Refais la même chose avec le citron.

**6**

Mets au réfrigérateur et laisse jusqu'à ce que le mélange soit vraiment froid.

**7**

Juste avant de servir, ajoute la limonade.

**8**

Mélange bien et sers tout de suite.

# CHAPITRE DEUX
# Légumes et salades

De pleins paniers de légumes craquants
et des salades toutes fraîches, parfaits partenaires
pour les repas. Essaye la savoureuse salade
mélangée, ou la salade de tomates.

# HARICOTS EN SALADE

## POUR 6 PERSONNES

1 tasse de haricots verts cuits
et coupés, bien égouttés

1 tasse de grains de maïs en
boîte, bien égouttés

300 g de haricots rouge
en boîte

1 pincée de sucre

¼ de tasse d'huile

¼ de tasse de vinaigre blanc

Sel et poivre

*Le client: Garçon,
que fait cette mouche
dans mon potage?
Le garçon: Le dos crawlé!*

**1** Mets les haricots verts bien égouttés dans un grand plat ou un saladier.

**2** Verse le maïs bien égoutté dessus et mélange.

**3** Ouvre la boîte de haricots rouges et égoutte-les soigneusement.

**4** Ajoute-les au plat.

**5** Dans le verre gradué remue le sucre avec l'huile et le vinaigre, pour le dissoudre.

**6** Sale et poivre et mélange bien.

**7** Verse ta sauce sur toute la salade et mélange bien.

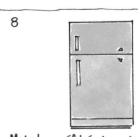

**8** Mets-la au réfrigérateur et sers-la bien fraîche.

26

# SALADE DE POMMES DE TERRE

**POUR 6 PERSONNES**

6 pommes de terre moyennes
310 g de maïs en boîte
¼ de tasse de persil haché
Sel et poivre
1 c. à soupe de vinaigrette
¼ de tasse de mayonnaise

Gratte les pommes de terre et lave-les à l'eau froide.

**2**

Fais-les cuire, mais il faut qu'elles restent fermes.

**3**

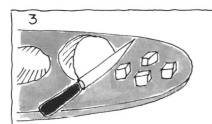

Laisse-les refroidir et ensuite pèle-les et coupe-les en petits carrés.

**4**

Verse-les dans un joli saladier.

**5**

Ouvre ta boîte de maïs en grains. Bien égouttés, ajoute-les aux pommes de terre.

**6**

Ajoute le persil, le sel et le poivre.

**7**

Verse ta vinaigrette et ta mayonnaise.

**8**

Remue le tout doucement et sers bien froid.

# COLESLAW

## POUR 6 PERSONNES

½ chou blanc
2 carottes
POUR LA SAUCE :
¾ de tasse de lait en poudre
1 c. à café de sucre
¼ de tasse de vinaigre blanc
1 œuf
Sel et poivre

1. Verse le lait, le sucre et le vinaigre dans une petite casserole.

2. Ajoute l'œuf. Sale et poivre. Fouette le mélange jusqu'à ce qu'il soit lisse.

3. Laisse cuire à feu moyen en remuant tout le temps, pour obtenir un mélange bien épais.

4. Verse le mélange dans un bocal et mets au réfrigérateur.

5. Émince le chou en fines lanières.

6. Continue jusqu'à la quantité désirée.

7. Épluche et râpe les carottes, mélange bien avec le chou dans un saladier.

8. Verse ta sauce sur la salade et mélange bien.

# SALADE DE TOMATES

*POUR 6 PERSONNES*

4 belles tomates

POUR LA SAUCE :
¼ de tasse d'huile
¼ de tasse de vinaigre blanc
¼ c. à café de moutarde
½ c. à café de sucre en poudre
Poivre en grains fraîchement
moulu

1

Lave et sèche bien les tomates.
Tranche-les en fines rondelles.

2

Dispose-les joliment dans un plat ovale
de préférence.

3

Mets l'huile, le vinaigre, la moutarde et
le sucre dans un verre hermétique.

4

Ferme et mélange bien.

5

Verse ensuite le mélange
sur les tomates.

6

Saupoudre de poivre fraîchement moulu.

7

Protège et mets le plat au réfrigérateur
1 heure, tu sers bien frais.

8

Essaye cette sauce :
¼ de tasse d'huile
2 c. à café de jus de citron
2 c. à café de sucre canne
1 c. à soupe de basilic.

# SALADE MÉLI-MÉLO

## POUR 6 PERSONNES

8 champignons de Paris
1 c. à soupe de persil haché
2 c. à café de jus de citron
2 c. à soupe d'huile
3 courgettes

1 poivron vert
4 petites tomates
5 feuilles de menthe
¼ de tasse de vinaigrette
Poivre fraîchement moulu

**1**

Nettoie et pèle les champignons. Émince-les.

**2**

Verse-les dans un bol et ajoute le persil, le jus de citron et l'huile.

**3**

Coupe les courgettes en fines rondelles et fais-les bouillir juste 1 min.

**4**

Égoutte-les et rince-les à l'eau froide, égoutte à nouveau.

**5**

Coupe le poivron en fines tranches.

**6**
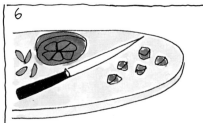
Coupe les tomates en petits cubes et la menthe en fines lanières.

**7**

Verse le tout dans un grand saladier et rajoute les champignons.

**8**

Verse ta vinaigrette et poivre selon ton goût, remue le tout doucement. Sers ta salade bien froide.

**POUR 6 PERSONNES**

750 g de potiron
Sel et poivre
50 g de beurre
2 c. à soupe de mélasse raffinée
½ tasse de chapelure

Préchauffe ton four à 180°. Beurre un plat à four creux.

Coupe le potiron en morceaux de 3 cm d'épaisseur. Épluche-les.

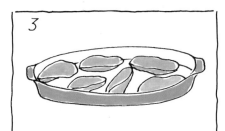

Dispose les morceaux dans ton plat.

Saupoudre de sel et poivre.

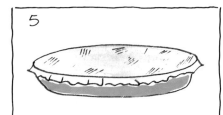

Recouvre de papier aluminium et mets au four 35 min.

Dans une petite casserole mélange la mélasse et le beurre et rajoute la chapelure. Feu très doux.

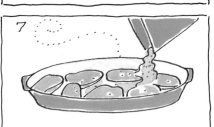

Enlève le papier aluminium et verse ton mélange sur les morceaux de potiron.

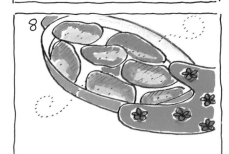

Remets le tout au four encore 20 min.

# OIGNON ET TOMATE

*POUR 4 PERSONNES*

4 oignons de taille moyenne
3 tasses d'eau
1 belle tomate
Sel et poivre
2 c. à soupe de Maïzena
¼ de tasse d'eau froide

**1** Épluche les oignons. Coupe-les en fines rondelles. Verse-les dans une casserole.

**2** Ajoute l'eau et fais bouillir le tout. Fais mijoter à feu doux pendant **20 min.**

**3** Égoutte en gardant ³/₄ de tasse de liquide de cuisson.

**4** Émince les tomates en fines tranches, mélange aux oignons et à l'eau qui bout.

**5** Sale et poivre à ton goût et laisse mijoter à feu doux pendant **5 min.**

**6** Mêle la Maïzena et l'eau froide dans un bol jusqu'à ce que la pâte soit bien lisse.

**7** Verse doucement dans la casserole en remuant jusqu'à ébullition.

**8** C'est une délicieuse garniture pour les poissons ou les viandes.

# BEIGNETS AU MAÏS

## POUR 4 PERSONNES

300 g de maïs en boîte
2 œufs
Sel et poivre
125 g de farine
1 c. à café de levure
60 g de fromage râpé
25 g de beurre
2 c. à soupe d'huile

**1** Égoutte bien le maïs.

**2** Dans un bol mélange les œufs, le sel et le poivre.

**3** Ajoute la farine et la levure, travaille au fouet pour bien lisser.

**4** Verse le maïs et le fromage râpé, mélange.

**5** Dans une poêle mets le beurre et l'huile, fais chauffer à feu moyen.

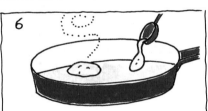

**6** Quand le mélange frémit, forme des croquettes à la cuillère et glisse-les dans la poêle.

**7** Laisse-les dorer sur un côté et retourne-les avec une spatule.

**8** Fais-les dégraisser sur un papier absorbant, c'est prêt !

# GRATIN DE RIZ SAVOUREUX

## POUR 6 PERSONNES

1 c. à soupe d'huile
1 oignon haché
425 g de tomates entières pelées en boîte (garde le jus)
1 c. à café de bouillon de poulet en poudre
Sel et poivre

½ c. à café de sucre
300 g de grains de maïs en boîte
3½ tasses de riz cuit
1 tasse de petits pois congelés
1 tasse de fromage râpé

*Je mange mes petits pois avec du miel, Je l'ai fait toute ma vie! Ça leur donne un drôle de goût! Mais au moins ils ne tombent pas de ma fourchette!*

**1** Préchauffe ton four à 180° et beurre ton plat.

**2** Chauffe l'huile dans une casserole. Verse-y les oignons et laisse dorer doucement.

**3** Ensuite verse les tomates, leur jus, le sucre puis sale et poivre selon ton goût.

**4** Laisse mijoter à feu doux en remuant le tout.

**5** Égoutte le maïs, mélange-le dans un bol avec les petits pois et le riz.

**6** Verse ce mélange dans ton plat à four.

**7** Recouvre avec ta sauce tomate.

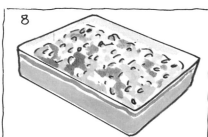

**8** Saupoudre de fromage râpé et mets au four pendant 30 min.

# CHAPITRE TROIS

# Poulet, poisson et viandes

Tu as envie d'étonner ta famille ? Voici des recettes de plats onctueux et surprenants comme le poulet au gingembre, le saumon sauce Mornay et les boulettes sauce aigre-douce. Parions qu'ils en redemandent !

# AILES DE POULET

POUR 4 PERSONNES

2 c. à soupe de jus de citron
⅓ de tasse de sauce soja
½ c. à café de gingembre frais
    râpé
10 ailes de poulet
2 c. à soupe de miel
2 c. à soupe de sauce tomate

**1**

Mélange le jus de citron, la sauce soja et le gingembre dans un grand plat.

**2**

Ajoute les ailes de poulet et tourne-les bien dans le mélange.

**3**

Couvre le plat avec de l'aluminium et laisse reposer 5 heures au réfrigérateur.

**4**

Égoutte les ailes mais en gardant la sauce.

**5**

Mélange-la avec le miel et la sauce tomate.

**6**

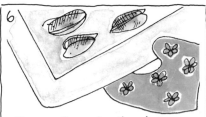

Mets tes ailes sur le gril pendant 5 min et tartine-les bien avec le mélange au miel.

**7**

Remets sur le gril et retourne tes ailes, retartine de sauce au miel.

**8**

Laisse griller encore 10 min. Ce plat se mange aussi bien froid que chaud !

# POULET AU GINGEMBRE

## POUR 6 PERSONNES

- 2 gros morceaux de blanc de poulet
- 1 c. à café de Maïzena
- Sel et poivre
- 1 oignon finement émincé
- 1 branche de céleri, coupée
- 2 c. à café de gingembre frais râpé
- ½ c. à café de sucre
- 1 c. à soupe de Xérès
- 2 c. à soupe d'eau
- 2 c. à soupe d'huile
- 1 tasse de haricots verts coupés en petits morceaux

**1** Émince finement tes blancs de poulet, enlève les os s'il en reste.

**2** Verse dans un saladier avec la Maïzena. Sale et poivre. Laisse reposer.

**3** Dans un autre récipient mets l'oignon émincé et le céleri.

**4** Ajoute le gingembre, le sucre, le Xérès et l'eau et mélange le tout.

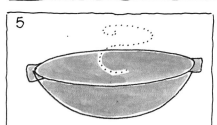

**5** Fais chauffer l'huile à feu vif dans une grande poêle ou mieux un wok si tu as.

**6** Fais revenir le poulet en le tournant jusqu'à ce qu'il soit cuit. Feu moyen.

**7** Verse le mélange oignon/céleri, fais cuire à feu moyen en remuant sans arrêt.

**8** Rajoute les haricots verts et tourne bien. Laisse cuire quelques minutes jusqu'à ce qu'ils soient chauds. Sers tout de suite.

On demanda à un gourmand glouton qui venait de loin :
« À quelle heure vous sert-on à dîner ?
À onze heures, à trois heures, à cinq heures, et à sept et à huit et aussi à dix heures moins le quart ! »

# POULET AUX LÉGUMES

**POUR 4 PERSONNES**

3 blancs de poulet
1 c. à soupe d'huile
2 tasses de légumes mélangés
congelés (prêt-à-frire)
1 c. à soupe de Maïzena

1 c. à soupe de Xérès
¼ de tasse de jus d'ananas
¼ de tasse d'eau
½ tasse d'ananas en
morceaux, égouttés

> - Garçon, quand je bois
> mon café, ça me pique
> dans mon œil.
> - Eh bien, sortez
> la cuillère de la tasse

**1**

Découpe le poulet en petites bouchées.

**2**

Mets l'huile dans une grande poêle, fais chauffer à feu moyen.

**3**

Fais sauter le poulet jusqu'à ce qu'il soit bien doré.

**4**

Ajoute les légumes et fais-les revenir pendant 5 min en les remuant souvent.

**5**

Dans un bol mélange la Maïzena, le Xérès, le jus d'ananas et l'eau.

**6**

Ajoute ce mélange en remuant jusqu'à ce qu'il s'épaississe et se mette à bouillir.

**7**

Verse les morceaux d'ananas et remue.

**8**

Porte à ébullition en remuant. Sers sur un lit de riz nature.

# POULET AU GRIL

## POUR 4 PERSONNES

1 tasse de jus d'orange
2 c. à café de zestes
   d'orange
½ c. à café de moutarde
½ c. à café de noix de
   muscade en poudre

¼ c. à café de curry en poudre
   (doux)
1 c. à soupe de persil haché
½ cube de bouillon de volaille
Sel et poivre
4 blancs de poulet

*A l'époque où la viande était encore cuite au feu de bois, un tournebroche surveillait la broche à rôtir. Le tournebroche était souvent un chien court sur patte qui courait en rond dans une roue peut-être le premier hot-dog ?*

**1** Mets le jus d'orange, les zestes et la moutarde dans un plat creux.

**2** Ajoute la noix de muscade, le curry, le persil et les blancs de poulet. Mélange.

**3** Sale et poivre. Tourne ton poulet dans cette sauce pour bien l'imprégner.

**4** Couvre ton plat de papier sulfurisé.

**5** Laisse au réfrigérateur pendant 2 ou 3 heures, tourne quelquefois.

**6** Sors les blancs de poulet macérés et pose-les sur la grille du four.

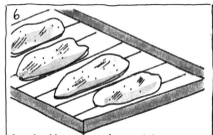

**7** Fais griller 30 min en retournant les morceaux souvent pour qu'ils ne brûlent pas.

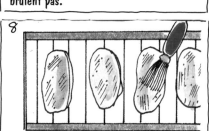

**8** Tartine le reste de ta sauce sur le poulet pendant la cuisson. Pense au gant de cuisine pour toutes ces opérations !

# SAUMON SAUCE MORNAY

## POUR 4 PERSONNES

1½ tasse de riz cuit

210 g de saumon nature en
   boîte

1 œuf dur

50 g de beurre

2 c. à soupe de farine

1½ tasse de lait

⅓ de tasse de fromage râpé
   (gruyère ou mimolette)

Sel et poivre

¼ de tasse de chapelure

---

**1**

Préchauffe le four à 180°. Étale ton riz cuit dans un plat à four creux.

**2**

Égoutte le saumon. Enlève les arêtes si nécessaire. Coupe le saumon en morceaux et disposes-les sur le riz.

**3**

Hache grossièrement ton œuf et émiette-le sur le saumon. Dans une petite casserole fais fondre le beurre à feu doux.

**4**

Ajoute la farine et mélange pour obtenir une pâte lisse. Retire du feu. Verse le lait et remue.

**5**

Remets à feu doux en mélangeant jusqu'au point d'ébullition.

**6**
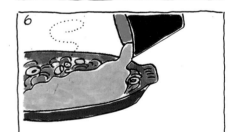
Ajoute le fromage. Sale et poivre. Puis verse sur le plat.

**7**

Saupoudre de chapelure bien régulièrement. Mets au four pendant 20 min.

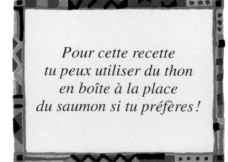
*Pour cette recette
tu peux utiliser du thon
en boîte à la place
du saumon si tu préfères !*

**8**

**Sers bien chaud
avec une salade verte.**

# PAIN DE THON

*POUR 4 PERSONNES*

425 g de thon nature en boîte
440 g de soupe de
Champignons en boîte
2 œufs
1½ tasse de riz cuit
1 oignon émincé
1 branche de céleri emincé
¼ de tasse de persil finement
   haché
1 carotte rapée

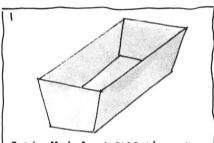

**1** Préchauffe le four à **210°** et beurre ton moule à cake.

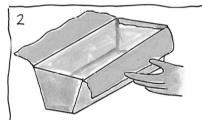

**2** Couvre le moule de papier sulfurisé qui dépasse de deux côtés longs

**3** Égoutte bien le thon, émiette-le à la fourchette.

**4** Mets le thon dans un saladier ,verse la soupe, mélange.

**5** Ajoute œufs, riz, oignon, céleri, persil et carotte — Mélange bien.

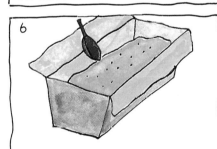

**6** Répartis bien ton mélange dans le moule à cake. Mets au four pendant 50 min.

**7** En soulevant les bouts du papier sulfurisé, enlève le pain et place-le sur un plat.

*Une petite boîte très emboitante, un matin demanda à sa grand-mère; « -Une boîte peut tout mettre en boîte, n'est-ce pas ? Mais dis une boîte peut-elle mettre une boîte en boîte ? »*

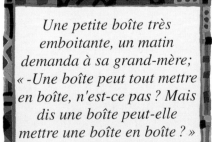

**8** Découpe en tranches et sers avec une salade et des quartiers de citron.

# GALETTES DE POISSON

*POUR 6 PERSONNES*

500 g de pommes de terre, épluchées
15 g de beurre
210 g de saumon nature en boîte
1 œuf

Sel et poivre
1 oignon émincé
¼ de tasse de miettes de pain fraîches
1 tasse de chapelure
2 c. à soupe d'huile

**1** Mets tes pommes de terre dans l'eau bouillante 12 à 18 min. Égoutte-les.

**2** Ajoute le beurre et écrase-les bien.

**3** Égoutte et émiette le poisson à la fourchette dans la purée. Ajoute œuf, oignon, miettes. Sale et poivre. Mélange bien.

**4** Avec les mains légèrement farinées façonne le mélange en galettes.

**5** Mets de la chapelure dans un bol et pane les galettes de poisson.

**6** Dispose les galettes sur un plateau et mets au réfrigérateur 1 heure.

**7** Fais chauffer de l'huile dans une sauteuse.

**8** Fais dorer tes galettes de chaque côté. Égoutte sur du papier absorbant et sers.

# RAGOÛT DE BŒUF

## POUR 4 PERSONNES

750 g de bœuf bourguignon
½ tasse de farine
1 oignon et 1 carotte
1 cube de bouillon de bœuf
2 tasses d'eau chaude
1 c. à soupe de sucre roux
1 c. à soupe de sauce tomate

1 c. à soupe de sauce Worcestershire
1 c. à soupe de vinaigre
½ c. à café de noix de muscade en poudre
Sel et poivre

On demande à un grand explorateur :
Quelle est la peau de l'animal que vous avez eu le plus de mal à rapporter de vos chasses ?
La mienne !!

**1** Préchauffe le four à 180°. Dégraisse ta viande.

**2** Coupe ta viande en petits cubes.

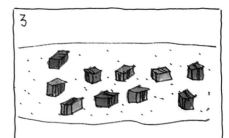

**3** Enduis toute la viande de farine.

**4** Mets la viande dans une cocotte, épluche et émince l'oignon et la carotte et ajoute-les.

**5** Fais fondre le cube de bouillon dans l'eau chaude et ajoute la sauce tomate et la sauce Worcestershire en remuant.

**6** Ajoute le sucre roux, le vinaigre, la noix de muscade. Sale et poivre.

**7** Verse le tout dans la cocotte et ferme le couvercle.

**8** Laisse cuire pendant 2 heures.

# LE PAIN DE VIANDE

## POUR 6 PERSONNES

1 kg de bifteck haché
1 tasse de chair à saucisse
 déjà assaisonnée
1 tasse de concentré
 de tomate
1 œuf
Sel et poivre
2 c. à soupe de sauce tomate

1
Préchauffe le four à 180° et mets la viande hachée dans un saladier.

2
Ajoute la farce, le concentré de tomates, l'œuf. Sale et poivre.

3
Remue le tout jusqu'à obtenir un mélange bien homogène et lisse.

4
Donne à ce mélange la forme d'un pain. (Lave-toi bien les mains avant cette opération)

5
Mets-le dans un moule à cake déjà beurré. Laisse cuire pendant 1 heure.

6
Sors du four et PRUDEMMENT enlève le gras superflu.

7
Étale la sauce tomate sur le pain de viande et remets au four.

8
Laisse cuire encore 30 min. Tu peux servir ce plat froid ou chaud.

# BOULETTES AIGRES-DOUCES

*POUR 4 PERSONNES*

BOULETTES DE VIANDE :
500 g de bifteck haché
2 c. à soupe de farine
¼ c. à café de sel
2 c. à soupe d'huile

SAUCE
1 petit oignon
1 poivron vert
1 c. à soupe d'huile
1 c. à soupe de Maïzena
1 c. à soupe de sauce soja
1 c. de vinaigre de vin rouge
2 c. à soupe de sucre roux
1 tasse d'ananas en
   morceaux
½ tasse de jus d'ananas

**1**

Divise la viande hachée en à peu près 16 boulettes. Façonne-les dans le mélange farine/sel.

**2**
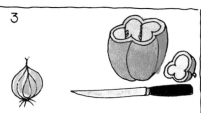
Fais chauffer les 2 c. d'huile. Fais frire en tournant les boulettes pour bien les dorer pendant 20 min. Feu moyen.

**3**

Épluche et émince l'oignon, ensuite découpe le poivron, jette les pépins.

**4**

Mets 1 c. d'huile dans une casserole. Fais revenir l'oignon et le poivron à feu vif pendant 3 min.

**5**

Mélange la farine, la sauce de soja, le sucre roux, l'ananas et son jus dans un saladier.

**6**

Verse le tout dans la casserole, fais bouillir en remuant bien tout le temps de la cuisson.

**7**
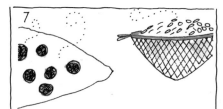
Égoutte les boulettes sur un papier absorbant, dispose-les sur un plat avec du riz cuit et bien chaud.

*Essaye de manger les plats chinois avec des baguettes, tu verras c'est une expérience amusante et au moins l'avenir de ton teinturier est assuré !*

**8**

Verse la sauce sur tes boulettes et le riz, c'est le moment de servir !

# JAMBON ET ANANAS

## POUR 4 PERSONNES

4 tranches d'ananas en boîte et leur jus

2 c. à soupe de sucre roux

4 steaks de jambon (1 cm d'épaisseur)

75 g de beurre

1
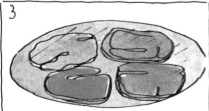
Égoutte les tranches d'ananas et garde une demi tasse de jus.

2

Mets le jus d'ananas et le sucre roux dans un grand plat creux.

3

Place les steaks de jambon dedans. Mets au réfrigérateur et laisse macérer 3 heures.

4
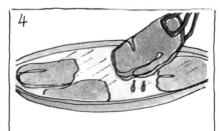
Retourne tes steaks toutes les heures.

5

Fais chauffer le beurre dans une grande poêle. Égoutte le jambon.

6

Feu moyen. Fais frire le jambon jusqu'à ce qu'il soit doré. Tourne tes steaks souvent.

7

Quand ils sont presque prêts, fais frire les tranches d'ananas pendant quelques minutes.

8

Sers avec une salade.

# PLATEAU DE PETIT DÉJEUNER

*Quoi de plus génial pour bien commencer un jour férié ou un dimanche qu'offrir à Maman et Papa un joli et appétissant plateau de petit déjeuner.*

*Pour simplifier cette préparation suit notre liste des « Essentiels »; elle te permet de ne rien oublier. Comme tu le sais maintenant il faut avoir les ustensiles et les ingrédients dont tu as besoin, à portée de main! Il te faut un joli plateau pour tout disposer dessus et c'est aussi plus facile à transporter! N'oublie pas de mettre une belle serviette, prends de la porcelaine et des couverts assortis et peut-être une petite fleur du jardin.*

*Ce menu de petit déjeuner est pour une personne.*

## MENU

**Coupe de fruits**
**Jus de fruit frais**
**Œuf coque et toasts**
**Thé**

## LISTE DES «ESSENTIELS»

1. Rassemble tous les objets dont tu auras besoin pour ton plateau :
   - un set de table et sa serviette
   - un petit bol pour la Coupe de fruits
   - un verre à jus de fruits
   - une assiette à dessert et un coquetier pour l'œuf coque et ses toasts
   - une tasse à thé et sa soucoupe, une petite cuillère
   - si tu peux : une fleur, le journal ou un magazine
2. Prépare ta Coupe de fruits.
3. Mets l'eau des œufs à bouillir.
4. Presse le Jus de fruit.
5. Plonge les œufs dans l'eau bouillante.
6. Branche la bouilloire.
7. Passe la théière à l'eau chaude.
8. Prépare le thé (ajoute si il le faut du lait et du sucre dans la tasse servie)
9. Grille et beurre les toasts, sors l'œuf de l'eau et mets-le dans le coquetier. Pose le tout sur l'assiette à dessert.
10. Dispose joliment sur le plateau la Coupe de fruit, le Jus de fruit et l'Œuf et ses Toasts. Tu peux servir !

## COUPE DE FRUITS

Tu peux choisir des fruits frais ou en boîte selon la saison. Essaye un mélange de fraises et pommes ou alors des pêches ou des poires. Tu peux aussi préparer un mélange de quartiers de mandarines avec des morceaux de pamplemousse ou de l'ananas en boîte avec des feuilles de menthes coupées.

**1 tasse de fruits coupés en morceaux**
**1 c. à soupe de jus d'orange**
**½ c. à café de sucre roux**
**2 c. à soupe de yaourt nature**

1. Dispose les fruits que tu as choisis dans un joli bol.
2. Verse le jus d'orange dessus et saupoudre de sucre.
3. Verse le yaourt dessus.

## JUS DE FRUIT FRAIS

Il n'y a rien de plus agréable qu'un jus de fruit frais pour le petit déjeuner. Utilise des oranges ou des pamplemousses, ou mieux un mélange des deux !

**2 ou 3 oranges**

1. Coupe les oranges en deux et passe-les au presse-agrumes en tournant vers la droite puis vers la gauche pour en extraire le jus.
2. Verse doucement le jus dans un grand verre. Attention aux pépins. Si tu veux servir un jus de fruit bien froid tu peux ajouter un ou deux glaçons.

## ŒUFS À LA COQUE AVEC TOASTS

**Eau**
**1 ou 2 œufs**
**2 tranches de pain de mie**
**Beurre**

1. Remplis une petite casserole d'eau, fais chauffer à feu vif.
2. Quand l'eau bout mets les œufs dedans, doucement à l'aide d'une cuillère. Pour obtenir un œuf poché (Blanc ferme et jaune coulant) tu le laisses bouillir 4 minutes. Pour obtenir un œuf à la coque (blanc ferme et jaune semi-coulant) tu le laisses bouillir 6 minutes. Pour obtenir un œuf dur (blanc et jaune fermes) tu le laisses bouillir 11 minutes.
3. Lorsque ton œuf est presque prêt, mets ton pain au grille-pain et beurre chaque toast.
4. A l'aide d'une petite écumoire enlève les œufs de l'eau dès qu'ils sont prêts. Mets chaque œuf dans un coquetier, casse le haut de ton œuf à la petite cuillère. Sers avec ton toast bien chaud.

## PRÉPARATION DU THÉ

**Eau bouillante**
**Thé en sachets ou en vrac**
**Lait**
**Sucre**

1. Remplis une bouilloire d'eau fraîche et fais frémir, en faisant bien attention verses-en un petit peu dans la théière (cette opération réchauffe la théière) et laisse reposer un petit peu.
2. Vide la théière et refais bouillir de l'eau dans la bouilloire. Mets 2 bonnes c. à café de thé dans la théière (il faut mettre 1 c. par personne et 1 pour la théière !) et verse doucement ton eau frémissante sur le thé. Couvre et attends 2 min avant de servir.

*1 Verse un peu d'eau chaude dans la théière pour la réchauffer et jette cette eau.*

*1 Coupe les oranges en deux et utilise un presse-agrume pour en extraire le jus*

*1 Plonge ton œuf dans l'eau bouillante à l'aide d'une cuillère.*

*2 Mets le thé dans la théière : 1 pleine c. à café de thé par personne et 1 pour la théière!*

*2 Verse doucement le jus dans un verre en retenant les pépins.*

*2 Casse le haut de ton œuf à la cuillère pour l'enlever.*

*3 Verse doucement l'eau frémissante sur le thé. Laisse infuser 2 min avant de servir.*

# CHAPITRE QUATRE

# Tartes, pâtes et pizzas

Simples, faciles et surtout rapides à cuisiner
et à dévorer, ce sont les chouchous de toute la famille.
Pour les grandes faims comment résister à une tarte
à l'oignon ou à ce gratin de coquillettes bien gratiné !

# TARTE À L'OIGNON

## POUR 6 PERSONNES

375 g de pâte feuilletée
¾ de tasse de fromage râpé
50 g de beurre
2 oignons émincés
1 tasse de lait concentré
1 c. à soupe de farine
Sel et poivre
2 œufs

**1**

Préchauffe le four à 190°. Étale la pâte au rouleau à pâtisserie.

**2**

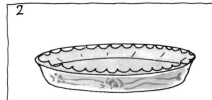

Pose ta pâte sur un moule à tarte de 24 cm de diamètre. Nettoie bien les bords de ton moule.

**3**

Saupoudre le fond de fromage râpé et laisse reposer au réfrigérateur.

**4**

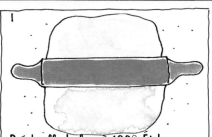

Dans une casserole, fais fondre le beurre à feu doux et ajoute l'oignon que tu laisses dorer mais pas brunir.

**5**

Mélange au fouet le lait, la farine, les œufs, le sel et le poivre dans un bol.

**6**

Ajoute les oignons et le beurre.

**7**

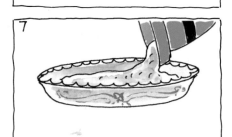

Verse doucement ton mélange dans le moule.

**8**

Laisse au four 35–40 min.

# PETITE TOURTE AUX CROÛTONS

**POUR 4 PERSONNES**

1 petit oignon
500 g de viande hachée
½ tasse de riz cru
1 tasse de concentré
   de tomate
3 tranches de pain
30 g de beurre

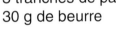

**1** Émince l'oignon et verse-le dans une casserole.

**2** Ajoute le riz, le concentré de tomate. Sale et poivre.

**3** Mélange bien le tout.

**4** Porte à ébullition en remuant tout le temps. Feu moyen.

**5** Laisse mijoter à feu doux 3 0 min en remuant de temps en temps.

**6** Verse dans un grand plat à four.

**7** Beurre ton pain. Découpe en petits cubes et dispose sur le mélange.

**8** Fais cuire au four à 180° pendant 15 min, ensuite position gril pendant 5 min pour griller le pain.

# TOURTE À LA SAUCISSE

**POUR 6 PERSONNES**

6 saucisses (chipolatas)
Eau bouillante
375 g de pâte feuilletée
4 œufs
Sel et poivre

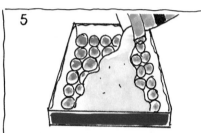

**1** Mets les saucisses dans une poêle. Recouvre-les d'eau bouillante. Laisse tiédir.

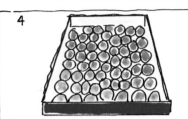

**2** Une fois tièdes enlève avec précaution la peau des saucisses.

**3** Partage la pâte en deux et étale au rouleau la première moitié, pose-la dans un moule à gâteau carré de 25 cm.

**4** Découpe tes saucisses en rondelles de même taille et dispose-les bien serrées dans le moule.

**5** Bats les œufs, sale, poivre et verse doucement le mélange sur les saucisses.

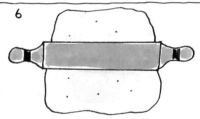

**6** Étale au rouleau l'autre moitié de la pâte et pose-la sur les saucisses.

**7** Colle bien les 2 pâtes. Avec une fourchette pique le dessus.

**8** Fais cuire la tourte pendant 45 min au four à 190°.

Tu peux manger ce plat chaud ou froid.

# GRATIN DE COQUILLETTES

## POUR 4 PERSONNES

1½ tasse de coquillettes
1 grande casserole d'eau
  bouillante
4 tranches de lard fumé
1 oignon épluché et émincé
450 g de soupe de tomates en
  boîte
½ tasse de lait
1 tasse de fromage râpé

1 Feu vif. Verse doucement tes pâtes dans l'eau bouillante.

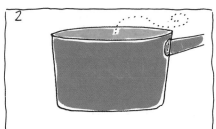

2 Laisse cuire dans l'eau bouillante pendant 6-8 min. Goûte tes pâtes.

3 Égoutte bien. Mets les dans un plat à gratin.

4 Découpe le lard fumé et fais-le frire avec l'oignon émincé à feu moyen.

5 Égoutte sur papier absorbant et verse dans le plat.

6 Ajoute la soupe, le lait et le fromage râpé.

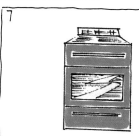

7 Fais cuire au four à 190° pendant 45 min.

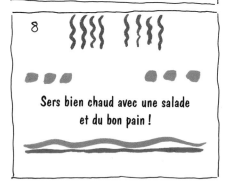

8 Sers bien chaud avec une salade et du bon pain !

# PÂTES À LA SAUCE BOLOGNAISE

## POUR 4 PERSONNES

1 c. à soupe d'huile
1 oignon émincé
500 g de viande hachée
425 g de tomates entières pelées en boîte
¾ de tasse de purée de tomate

1 c. à café d'origan séché
½ c. à café de sucre
1 tasse d'eau
1½ tasse de petites pâtes coquillages

> Les pâtes italiennes portent des noms parfois intéressants dont voici quelques exemples:
> Fettuccine: rubans
> Farfalle: papillons
> Penne: plumes
> Alors que vermicelli veut dire petits vers!!!!

**1**
Dans une grande casserole, chauffe l'huile à feu moyen puis ajoute l'oignon.

**2**
Ajoute la viande hachée. Cuit le tout à feu moyen, en remuant bien.

**3**
Verse la purée et les tomates entières, l'origan, le sucre, l'eau. Sale et poivre.

**4**
Porte à ébullition en remuant sans cesse.

**5**
Baisse alors à feu doux et fais mijoter pendant 40 min.

**6**
Dans une grande casserole d'eau bouillante, fais cuire les pâtes à feu vif.

**7**
10 min de cuisson et ensuite tu les égouttes bien.

**8**
Mets-les dans un plat et verse la sauce bolognaise dessus, sers tout de suite !

# PIZZA GÉANTE

**POUR 4 PERSONNES**

2 tasses de farine au levain
½ c. à café de sel
30 g de beurre
1 tasse de lait
1 c. à soupe d'huile
¼ de tasse de sauce tomate
2 tasses de mimolette râpée

1 tomate finement coupée
1 tasse de morceaux
d'ananas bien égouttés
1 tasse de jambon blanc(ou
autre) coupé en petits
morceaux

*J'ai envie de goûter autre chose.*
*- Ça tombe bien, un restaurant*
*tibétain vient d'ouvrir.*
*Et qu'est-ce qu'on y mange ?*
*- Ben, des nouilles.*

**1**

Préchauffe ton four à **220°**. Prends la plaque du four.

**2**

Verse la farine et le sel dans un bol. Coupe le beurre en morceaux et ajoute-le.

**3**

Du bout des doigts travaille le mélange pour bien incorporer le beurre.

**4**
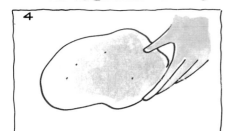
Ajoute le lait et retravaille la pâte jusqu'à ce qu'elle devienne une boule bien lisse.

**5**
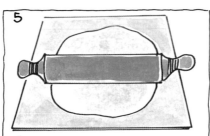
Étends la pâte de façon à obtenir une galette de 34 cm de diamètre.

**6**

Tartine-la d'huile et de sauce tomate.

**7**
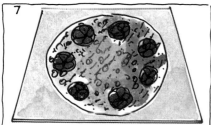
Saupoudre de fromage râpé et dispose-les tranches de tomates dessus.

**8**
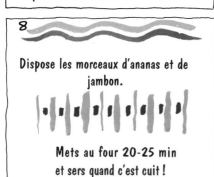
Dispose les morceaux d'ananas et de jambon.

Mets au four **20-25 min** et sers quand c'est cuit !

# CHAPITRE CINQ

# La cuisine au micro-ondes

La magie du micro-ondes pour faire des soupes, des petites gourmandises et même des desserts en un temps record. Impressionne ta famille et tes amis avec la baguette fourrée et le gâteau Pavlova. Bluffant!

61

# SOUPE DE MAÏS AU POULET

## POUR 6 PERSONNES

3 c. à café de bouillon de
    volaille en cube
3½ tasses d'eau bouillante
1 tasse de poulet cuit émincé
1 tasse de maïs en boîte

2 c. à café de Maïzena
1 c. à soupe de persil haché
1 pincée de poivre

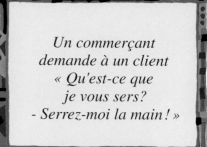

**1**
Verse le cube de bouillon de volaille
et l'eau bouillante dans un saladier.

**2**
Ajoute le poulet et le maïs, mélange
bien.

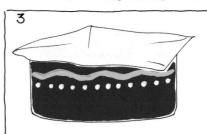

**3**
Recouvre le tout d'une serviette en
papier.

**4**
Porte à ébullition en remuant sur feu vif
pendant 6-7 min.

**5**
Mélange la Maïzena et l'eau froide
dans un bol.

**6**
Verse dans la soupe, remue bien le tout.
Couvre avec une serviette en papier.

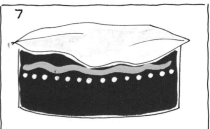

**7**
Remue 1-2 min à feu vif,
jusqu'à ébullition.

**8**
Ajoute le persil et le poivre.
Sers tout de suite.

# BOUCHÉES AU FROMAGE

*POUR 1 BOUCHÉE*

1 tranche de pain
2 c. de sauce tomate
Fromage à fondre

**1**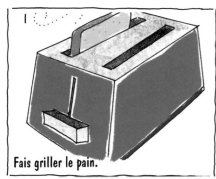
Fais griller le pain.

**2**
Tartine de sauce de tomate.

**3**
Découpe une tranche de fromage fine.

**4**
Et pose-la sur le pain.

**5**
Pose ta bouchée sur une assiette.

**6**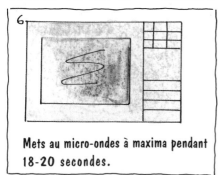
Mets au micro-ondes à maxima pendant 18-20 secondes.

**7**
Surveille et sors la tartine quand le fromage est bien fondu.

**8**
Sers et déguste !

**POUR 6 PERSONNES**

½ baguette

8–10 tranches fines
de fromage

8–10 tranches de jambon

1

Fais 8 à 10 entailles sur ta baguette.

2

Taille tes tranches de fromage
(à peu près) au diamètre du pain.

3

Même opération avec le jambon.

4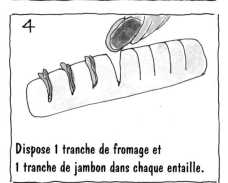

Dispose 1 tranche de fromage et
1 tranche de jambon dans chaque entaille.

5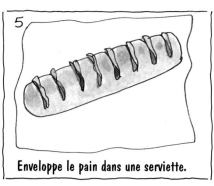

Enveloppe le pain dans une serviette.

6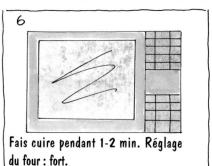

Fais cuire pendant 1-2 min. Réglage
du four : fort.

7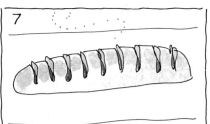

Dès que le fromage commence à fondre,
sors le pain.

8

Pour servir coupe les entailles
jusqu'au bout.

# POULET À LA CRÈME

## POUR 4 PERSONNES

4 escalopes de poulet
½ c. à café de paprika doux en poudre
1 oignon, épluché et émincé
1 pomme épluchée et émincée

440 g de soupe aux champignons en boîte
½ c. à café de curry en poudre
¾ de tasse de lait

*La maîtresse explique que l'oxygène a été découvert au 18 ème siècle. Mais alors, demande Charlotte, comment faisaient-ils avant?*

**1**

Enlève la peau du poulet et dispose les blancs dans un plat.

**2**

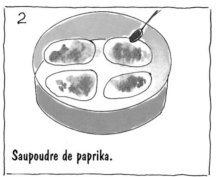

Saupoudre de paprika.

**3**

Verse l'oignon et la pomme émincés.

**4**

Mélange la soupe et le curry dans un récipient.

**5**

Verse sur le poulet. Couvre ton plat de film plastique. Perce 2, 3 trous.

**6**

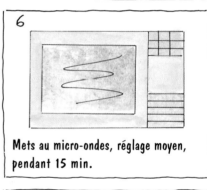

Mets au micro-ondes, réglage moyen, pendant 15 min.

**7**

Retire le plat et verse la sauce sur le poulet.

**8**

Remets un film et laisse cuire à même puissance encore 8-10 min.

# OMELETTE ESPAGNOLE

*POUR 4 PERSONNES*

1 petit oignon émincé
15 g de beurre
1 pomme de terre cuite et
  coupée en morceaux
1 tomate coupée en morceaux

1 petit poivron vert coupé en
  petits carrés
Sel et poivre
3 œufs
2 c. à soupe de lait

**1** Mets l'oignon émincé et le beurre dans un bol.

**2** Couvre de film alimentaire. Perce-le. Cuis à maxima 2 min.

**3** Ajoute la pomme de terre, la tomate, le poivron. Sale et poivre.

**4** Verse les œufs et le lait. Mélange bien.

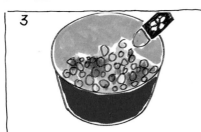

**5** Verse le mélange dans un plat creux de 20 cm, déjà beurré.

**6** Couvre de film alimentaire. Perce-le. Cuis à maxima 1¹/₂ min.

**7** Remue pour bien ramener les œufs au centre du plat. Recouvre. Mets à maxima pendant 2 min.

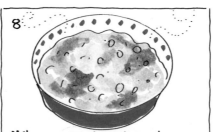

**8** Mélange encore et remets au micro-ondes 1 min (sans couvrir). Laisse reposer 2 min avant de servir.

# GRATIN DE POMMES DE TERRE

## POUR 6 PERSONNES

30 g de beurre
1 oignon épluché et émincé
6 pommes de terre moyennes
Sel et poivre
⅔ de tasse de lait
¾ de tasse de fromage râpé
(Cheddar ou mimolette)

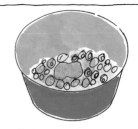

1

Fais cuire le beurre et l'oignon pendant 3 min à maxima.

2

Épluche les pommes de terre. Coupe-les en tranches fines.

3

Dépose la moitié des pommes de terre dans un plat à four creux.

4

Parsème cette couche d'oignon et de beurre. Sale et poivre.

5

Ajoute les pommes de terre qui restent par dessus.

6

Verse le lait. Saupoudre de fromage râpé.

7

Recouvre de film alimentaire et perce quelques trous. Mets au micro-ondes à maxima pendant 8 min.

8

Enlève le film. Remets au four pendant 10 min ou plus si besoin est.

Tu peux mettre au gril pour faire gratiner le fromage.

# ROULÉ PAVLOVA

## POUR 6 PERSONNES

Du beurre pour graisser et de la Maïzena pour saupoudrer la plaque du micro-ondes
4 blancs d'œuf à température ambiante
1 tasse de sucre en poudre
¾ c. à café d'extrait de vanille liquide

1 c. à café de vinaigre blanc
¾ de tasse de noix de coco séchée et grillée
30 cl de crème chantilly
1 tasse de fruit émincé (selon tes goûts fraises, bananes...)

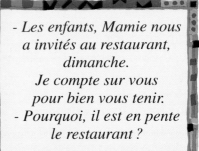
- Les enfants, Mamie nous a invités au restaurant, dimanche.
Je compte sur vous pour bien vous tenir.
- Pourquoi, il est en pente le restaurant ?

**1**

Beurre un peu un plat de 24 x 24 cm, spécial micro-ondes. Pose un papier dessus.

**2**
Beurre le papier. Saupoudre de Maïzena.

**3**
Monte les blancs d'œuf en neige ferme.

**4**
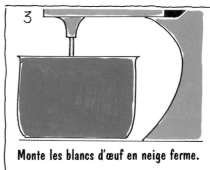
Ajoute le sucre petit à petit puis la vanille et le vinaigre.

**5**

Verse sur la plaque et saupoudre de noix de coco. Mets au four 2 min, à maxima.

**6**
Saupoudre un papier sulfurisé de noix de coco et pose ton gâteau froid dessus.

**7**

Tartine de crème chantilly et de petits morceaux de fruit.

**8**
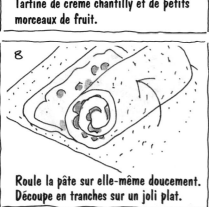
Roule la pâte sur elle-même doucement. Découpe en tranches sur un joli plat.

# GÂTEAU À L'ANANAS

*POUR 6 PERSONNES*

60 g de beurre

¾ de tasse de sucre en poudre

1 c. à café d'extrait de vanille

1 œuf

½ tasse de lait

1 tasse d'ananas haché

½ tasse de noix de coco râpée

1½ tasse de farine avec levure
   incorporée

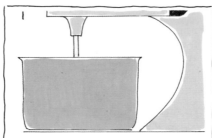

1
Mixe le beurre, le sucre en un mélange bien lisse.

2
Ajoute la vanille et l'œuf, mixe bien.

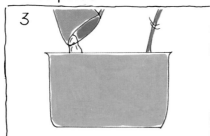

3
Verse ensuite le lait, l'ananas égoutté et la noix de coco, mélange à la cuillère.

4
Incorpore doucement la farine en remuant bien.

5
Dans un moule à savarin, beurré, verse ta préparation.

6
Mets au four sur une grille spéciale sans le couvrir thermostat 4-5 pendant 7 à 8 min.

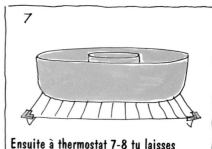

7
Ensuite à thermostat 7-8 tu laisses encore cuire 4-4 ¹/₂ min.

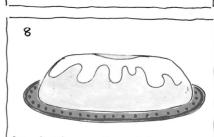

8
Attends 5 bonnes min avant de démouler. Étale le glaçage sur le gâteau froid. (recette de la page 88)

# CROUSTILLANT AU CHOCOLAT

*POUR 16 PARTS*

180 g de beurre
1 tasse de cornflakes
1 tasse de noix de coco
   séchée
¾ de tasse de sucre en poudre
1 tasse de farine avec levure
   incorporée
2 c. à soupe de cacao

**1**

Mets le beurre dans un bol et couvre d'une serviette en papier.

**2**

Laisse fondre pendant 2¹/₂ min, réglage moyen.

**3**

Dans un saladier, verse les cornflakes, la noix de coco et le sucre.

**4**

Incorpore la farine et le cacao.

**5**

Ajoute le beurre fondu et mélange bien le tout.

**6**

Pose ta pâte au fond d'un moule carré de 20 cm en la tassant bien à la main.

**7**

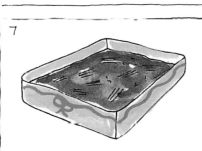

Laisse au micro-ondes 6 min à maxima.

**8**

Pose ton glaçage sur ton gâteau encore chaud.

# CHAPITRE SIX

# Les desserts

Pour finir un repas en beauté, voilà une liste
de desserts délicieux! Et pour toi, le mode d'emploi
pour devenir le spécialiste du Délice à la banane
et du Pudding à la pomme.

# LE PUDDING À LA POMME

**POUR 6 PERSONNES**

5 pommes vertes
¼ de tasse de sucre en poudre
1 c. à café de zestes de citron
1 c. à soupe d'eau
60 g de beurre
2 c. à soupe de sucre
  en poudre en plus
1 œuf
½ tasse de farine avec levure
  incorporée
Crème fraîche ou glace
à la vanille

**1** Préchauffe le four à 180°. Beurre un moule à gâteau carré.

**2** Épluche et coupe les pommes en tranches. Mets dans le moule.

**3** Verse le sucre en poudre et les zestes de citron. Mélange et ajoute l'eau.

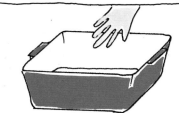

**4** Mixe le beurre, 2 c. à soupe de sucre et l'œuf, le mélange doit être lisse et blanc.

**5** Incorpore la farine et mélange.

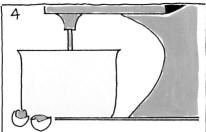

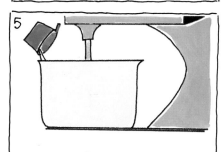

**6** Verse doucement ce mélange sur les pommes.

**7** Fais cuire au four 30-35 min, il faut que le dessus du pudding soit doré.

*Quel est le côté gauche d'un pudding ? Celui que l'on ne mange pas.*

**8** Sers bien chaud avec de la crème ou de la glace à la vanille.

# POMMES AU FOUR

*POUR 4 PERSONNES*

4 pommes vertes
½ tasse de dattes émincées
1 c. à soupe de cerneaux de noix
1 c. à soupe de zestes de citron râpé
½ tasse d'eau
½ tasse de sucre roux
30 g de beurre
¼ de c. à café de cannelle en poudre
¼ de c. à café de noix de muscade en poudre
Glace à la vanille ou crème chantilly

**1** Préchauffe le four à 180°. Évide les pommes au vide-pomme.

**2** Épluche juste le quart supérieur des pommes et laisse la peau sur le reste.

**3** Mélange les dattes, les cerneaux de noix et les zestes et garnis-en l'intérieur des pommes en pressant bien.

**4** Dispose les pommes dans un moule profond.

**5** Dans une casserole mélange eau, sucre, beurre, cannelle et noix de muscade.

**6** Fais bouillir et verse immédiatement sur les pommes.

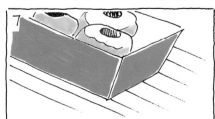
**7** Laisse au four à peu près 1¼ d'heure en arrosant les pommes de temps en temps avec le jus de cuisson.

*Un dentiste grommelle:*
*- Ah! c'est tous les ans la même chose!*
*Ils fêtent les rois, tombent sur la fève et viennent se faire couronner chez moi!*

**8** Sers les pommes bien chaudes accompagnées de glace à la vanille ou de crème chantilly.

# TARTE TÊTE À L'ENVERS

## POUR 6 PERSONNES

125 g de beurre
¾ de tasse de sucre en poudre
1 œuf
2 tasses de farine
2 c. à café de levure chimique
¾ de tasse de lait
1 grande banane, écrasée

75 g de beurre fondu
½ tasse de sucre roux
1 tasse d'ananas écrasé
(bien égoutté)
Crème fleurette

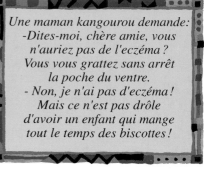
Une maman kangourou demande:
-Dites-moi, chère amie, vous
n'auriez pas de l'eczéma ?
Vous vous grattez sans arrêt
la poche du ventre.
- Non, je n'ai pas d'eczéma !
Mais ce n'est pas drôle
d'avoir un enfant qui mange
tout le temps des biscottes !

**1** Préchauffe le four à 180°. Prépare un moule à gâteau de 20 cm.

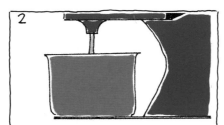
**2** Mixe le beurre, le sucre, l'œuf pour obtenir un mélange lisse puis incorpore la farine et la levure.

**3** Mélange en ajoutant peu à peu le lait et la banane écrasée.

**4** Verse le beurre fondu dans le moule et répartis bien.

**5** Saupoudre ensuite généreusement de sucre roux.

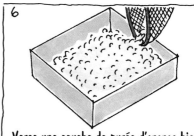
**6** Verse une couche de purée d'ananas bien régulière.

**7** Puis recouvre avec le mélange du mixeur. Fais cuire pendant 40-45 min.

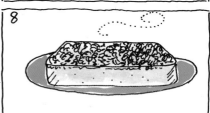
**8** Démoule dans un joli plat et sers bien chaud avec de la crème fleurette.

# DÉLICE À LA BANANE

*POUR 6 PERSONNES*

4 bananes moyennes
1 cuil. de jus de citron
2 œufs
2 c. à soupe de sucre
1 tasse de noix de coco séchée
2 c. à soupe de confiture
d'abricots
Crème ou glace

**1**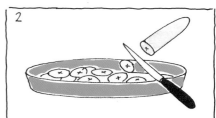
Préchauffe le four à 180°. Épluche les bananes.

**2**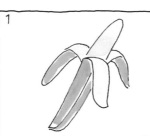
Découpe-les en rondelles régulières dans un plat à four.

**3**
Verse le jus de citron dessus.

**4**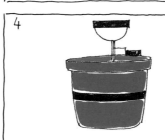
Mets les œufs et le sucre dans un bol et fouette pour obtenir un mélange crémeux.

**5**
Ajoute la noix de coco et la confiture. Mélange bien.

**6**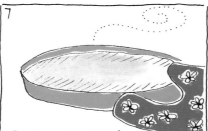
Verse le mélange bien régulièrement sur les bananes.

**7**
Fais cuire 25 min ou plus pour que le plat soit bien doré.

**8**
Sers chaud avec de la crème ou de la glace à la vanille.

## POUR 12 CRÊPES

1 tasse de farine
Pincées de sel
1 œuf
1¼ tasse de lait
Un peu d'huile pour la poêle
Jus de citron et sucre pour en
saupoudrer les crêpes

**1**

Tamise dans une jatte la farine et le sel.
Ajoute les œufs et le lait.

**2**

Pas de grumeaux !

Fouette bien fort pour obtenir une pâte
bien lisse. Laisse reposer 1 heure.

**3**

Sur une poêle de 20 cm de diamètre,
passe un peu d'huile et chauffe-la à feu
moyen jusqu'à ce qu'elle grésille.

**4**

Transvase ta pâte à crêpes dans une jarre à
bec verseur, c'est plus facile pour verser !

**5**

Verse 3 c. à soupe
de pâte dans la poêle. Incline-la très vite
pour qu'elle s'étende sur tout le fond.

**6**

Décolle les bords de ta crêpe à la spatule
dès qu'elle est dorée et retourne-la pour
cuire l'autre côté.

**7**

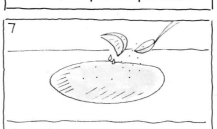

Dépose-la sur un papier absorbant.
Mouille tes crêpes de jus de citron et
saupoudre de sucre.

**8**

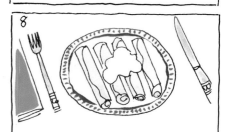

Roule-les et sers bien chaud avec de la
crème chantilly ou de la glace.

# CÉRÉALES AUX FRUITS

*POUR 6 PERSONNES*

1 tasse de pêches en
   tranches (conserve)
1 tasse d'ananas
50 g de beurre
½ tasse de sucre roux
1 tasse de céréales au
   son(All-bran)
1 tasse de cornflakes
Crème ou glace

**1**

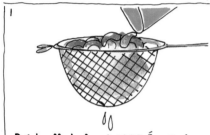

Préchauffe le four à 180°. Égoutte les pêches et l'ananas.

**2**

Mets les fruits dans un plat à four.

**3**

Dans une casserole fais fondre le beurre à feu doux.

**4**

Retire du feu. Verse le sucre roux et mélange.

**5**

Ajoute les céréales au son et les corn-flakes. Mélange fermement.

**6**

Répartis la préparation régulièrement sur les fruits.

**7**

Fais cuire pendant 12-15 min.

**8**

Sers chaud avec de la crème ou de la glace.

**POUR 6 PERSONNES**

½ tasse de confiture de fraise
60 g de beurre
½ tasse de sucre en poudre
1 œuf

1½ tasse de farine
1 c. à café de levure chimique
½ tasse de lait

1 | Beurre un grand moule à soufflé. Tartine le fond de confiture.

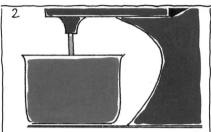

2 | Au mixeur mélange beurre, sucre, et œuf pour obtenir une pâte lisse et crémeuse.

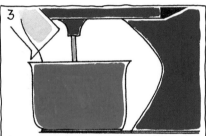

3 | Incorpore la farine et la levure. Ajoute le lait et mélange bien le tout.

4 | Verse doucement sur la confiture dans le moule.

5 | Pose une feuille d'aluminium sur le moule, presse bien sur les bords et fabrique des poignées en passant une ficelle autour.

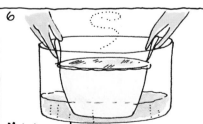

6 | Mets ton moule dans une grande cocotte contenant déjà 5 cm d'eau bouillante. Feu vif.

7 | Pose le couvercle sur la cocotte. Laisse mijoter à feu doux pendant 1 heure. Surveille et remets de l'eau régulièrement.

8 | Utilise un couteau à bout rond pour bien décoller le gâteau du moule. Démoule sur un joli plat. Sers bien chaud.

*POUR 4 PERSONNES*

1 c. à café de Maïzena
2 c. à soupe de cacao
25 g de beurre
⅓ de tasse de sirop d'érable
¼ de tasse d'eau
4 boules de glace à la vanille
Cerneaux de noix (si on veut)

**1**

Mélange la Maïzena et le cacao dans une petite casserole.

**2**

Ajoute le beurre et le sirop d'érable.

**3**

Verse l'eau.

**4**

Mélange bien le tout à feu doux.

**5**

Laisse mijoter à feu doux sans cesser de remuer.

**6**
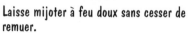
Dispose une boule de glace dans de jolies coupes.

**7**

Verse doucement ton mélange sur chaque boule de glace.

**8**

Parsème de cerneaux de noix si tu veux.

# BANANA SPLIT AU CHOCOLAT

## POUR 4 PERSONNES

- ¾ de tasse de sucre en poudre
- 3 c. à soupe de cacao
- 2 c. à soupe d'eau
- ¾ de tasse de lait concentré
- 2 c. à soupe de beurre
- ½ cuil. d'extrait de vanille liquide
- 4 bananes moyennes
- 4 boules de glace à la vanille

**1**

Verse le sucre, le cacao et l'eau dans une petite casserole.

**2**

Ajoute le lait. Mélange bien jusqu'au point d'ébullition. Feu doux.

**3**

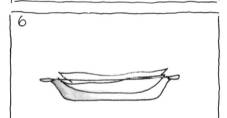

Laisse mijoter pendant 5 min à feu doux. Ajoute le beurre et la vanille.

**4**

Laisse reposer à peu près 10 min.

**5**

Épluche les bananes et coupe-les en deux.

**6**

Pose 2 moitiés de bananes dans des petits plats.

**7**

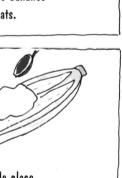

Place une boule de glace dans chaque plat.

**8**

Nappe de sauce chocolat et sers vite !

# TRIANGLES À LA POMME

**POUR 6 PERSONNES**

A peu près 200 g de pâte
feuilletée
2 pommes vertes
2 c. à soupe de sucre
en poudre
2 c. à café de cannelle
en poudre

### 1
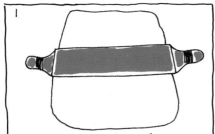

Préchauffe le four à 190°. Étale
finement la pâte feuilletée.

### 2
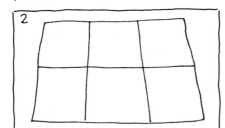

Découpe en 6 carrés de 14 x 14 cm.

### 3

Épluche et évide les pommes.
Découpe-les en quartiers très fins.

### 4

Dispose quelque quartiers de pommes
au coin de chaque carré de pâte.

### 5

Saupoudre les pommes de sucre et d'une
pincée de cannelle en poudre.

### 6
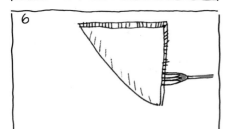

Plie ta pâte en triangle. Soude les bords
en les écrasant à la fourchette.

### 7

Perce un petit trou sur le dessus de
chaque triangle. Saupoudre-les de sucre.

### 8
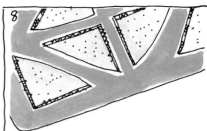

Dispose les triangles sur une plaque à
four et laisse cuire pendant 20 min.

# DESSERT AUX FRUITS

*POUR 6 PERSONNES*
½ tasse d'eau froide
1 c. à soupe de gélatine
¼ de tasse de farine
¾ de tasse de sucre en poudre
½ tasse de jus de pomme
1 c. à café de jus de citron
1 tasse d'eau chaude
3 fruits de la Passion
Yaourt

**1**

Mélange l'eau froide et la gélatine au fouet. Mets de côté.

**2**

Mets la farine et le sucre dans une petite casserole avec le jus de pomme. Fouette.

**3**
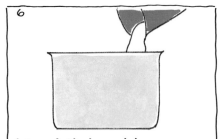
Ajoute le jus de citron et l'eau chaude. Fouette.

**4**

Remue à feu moyen pour obtenir un mélange épais et mousseux.

**5**

Retire du feu. Ajoute la gélatine. Fouette bien fort.

**6**
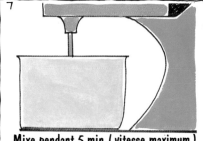
Laisse refroidir dans un bol au réfrigérateur. Ne laisse pas durcir.

**7**
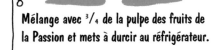
Mixe pendant 5 min ( vitesse maximum ) pour obtenir une mousse épaisse et claire.

**8**
Mélange avec ³/₄ de la pulpe des fruits de la Passion et mets à durcir au réfrigérateur.

Sers avec du yaourt et le reste de la pulpe des fruits de la Passion

# CHAPITRE SEPT
# Les gâteaux

Des recettes démentes de super-gâteaux qui vont
du Délice au chocolat noir au traditionnel gâteau
américain à la carotte, mais sans oublier
le très spécial gâteau d'anniversaire.

# GÂTEAU À LA CAROTTE

**POUR 8 PERSONNES**

1½ tasse de sucre roux
1 tasse d'huile
4 œufs
3 tasses de carottes râpées
2 tasses de farine avec levure incorporée
1 c. à café de cannelle en poudre

1 Préchauffe le four à 180°. Beurre un moule à gâteau de 20 cm et pose du papier sulfurisé au fond.

2 Verse le sucre roux et l'huile dans un mixeur et mélange bien.

3 Ajoute les œufs et mixe.

4 Mets les carottes râpées dans un grand saladier.

5 Tamise la farine et la cannelle.

6 Verse la préparation à l'œuf et mélange bien le tout.

7 Verse le mélange obtenu dans le moule et mets au four 1heure 10 min.

8 Lorsque le gâteau est froid, mélange :

1 tasse de sucre glace
1 c. à soupe de beurre
1 c. à café de zestes de citron
1 c. à café de jus de citron
un peu d'eau chaude pour mélanger le tout

Applique le glaçage sur le dessus du gâteau.

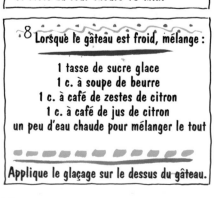

# GÂTEAU AU CHOCOLAT

**POUR 8 PERSONNES**
125 g de beurre
¾ de tasse de sucre en poudre
2 œufs
1 c. à soupe de mélasse
   raffinée
1 c. à café d'extrait de vanille

1 tasse de lait
1½ tasse de farine avec levure
   incorporée
2 c. à soupe de cacao

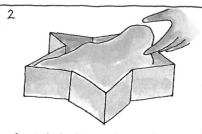

**1** Préchauffe le four à 180°. Beurre un moule en forme d'étoile ou rond de 20 cm.

**2** Garnis le fond du moule avec du papier sulfurisé beurré.

**3** Mixe le beurre, le sucre, les œufs pour obtenir un mélange lisse et crémeux.

**4** Ajoute le sirop d'érable et la vanille.

**5** Verse le lait en mixant.

**6** Tamise la farine et le cacao. Mélange bien.

**7** Étale bien régulièrement la pâte dans le moule. Fais cuire 45-55 min.

**8** Démoule le gâteau 10 min après sa sortie du four.

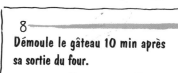

Etale le glaçage au chocolat. (Recette page 91).

# GÂTEAU À LA BANANE

*POUR 8 PERSONNES*

60 g de beurre
½ tasse de sucre en poudre
1 œuf
1 c. à café d'extrait de vanille
1 tasse de farine avec levure incorporée
½ tasse de lait
1 banane écrasée
Glaçage ( recette page 88 )

**1**
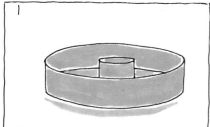
Préchauffe le four à 180°. Beurre un moule à savarin.

**2**

Saupoudre l'intérieur de ton moule avec un peu de farine.

**3**

Fais fondre le beurre à feu doux dans une grande casserole sans bouillir.

**4**

Retire du feu et ajoute le sucre, l'œuf et la vanille.

**5**

Mélange avec une cuillère de bois pour obtenir une pâte lisse.

**6**

Saupoudre de farine mais ne mélange pas tout de suite !

**7**

Verse le lait et la banane écrasée et mélange soigneusement le tout.

**8**

Étale bien dans tout le moule et mets au four 30 min.

90

# COURONNE AU CARAMEL

**POUR 8 PERSONNES**

1½ tasse de farine avec levure incorporée

3 c. à soupe de cacao

1 tasse de sucre en poudre

1 tasse d'eau

1 c. à café d'extrait de vanille liquide

1 c. à soupe de vinaigre blanc

½ tasse d'huile végétale

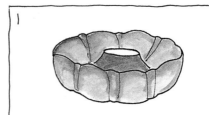

**1**

Préchauffe le four à 180°.
Beurre un moule à savarin.

**2**

Saupoudre un peu de farine à l'intérieur de ton moule.

**3**

Mets la farine, le cacao, le sucre et l'eau dans un saladier.

**4**

Ajoute la vanille, le vinaigre et l'huile.

**5**

Mélange le tout au fouet.

**6**

Dès que la préparation est lisse, verse dans le moule.

**7**

Fais cuire au four 35-40 min. Laisse refroidir 10 min et démoule.

**8**

Lorsque le gâteau est froid, mélange :

1 tasse de sucre glace

1 ½ c. à soupe de cacao

1 c. à soupe de beurre

et un peu d'eau chaude

pour lier le tout.

# CAKE À L'ABRICOT

**POUR 8 PERSONNES**

½ tasse d'abricots secs
   émincés
½ tasse de lait
125 g de beurre
½ tasse de sucre en poudre
3 œufs

2 tasses de farine avec levure
   incorporée
1 c. à café de zestes de citron
   râpé
¼ de tasse de cerneaux
   de noix

1

Mets les abricots et le lait dans un bol et laisse gonfler pendant 30 min.

2
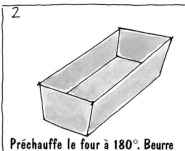
Préchauffe le four à 180°. Beurre un moule à cake de 21 x 14 cm.

3
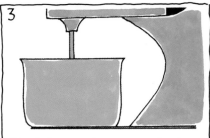
Mixe le beurre et le sucre pour obtenir un mélange lisse et crémeux.

4

Ajoute les œufs en mixant vitesse maximum

5

Verse les abricots et le lait, mélange. Ajoute les zestes de citron.

6

Tamise la farine pour obtenir un mélange homogène.

7

Verse le tout régulièrement dans le moule à cake.

8

Saupoudre avec les noix hachées grossièrement. Fais cuire 55-60 min.

# GÂTEAU D'ANNIVERSAIRE

**POUR 8 PERSONNES**

¾ de tasse de sucre en poudre
⅓ de tasse d'eau
125 g de beurre
1 c. à café d'extrait de vanille
   liquide
3 jaunes d'œufs
1½ tasse de farine avec levure
   incorporée
3 blancs d'œufs

**1**

Préchauffe le four à 180°. Beurre un moule rond de 20 cm. Tapisse le fond du moule avec du papier sulfurisé.

**2**

Remue le sucre et le beurre dans une casserole jusqu'à ébullition. Laisse refroidir.

**3**

Mixe le beurre, la vanille, les jaunes d'œuf.

**4**

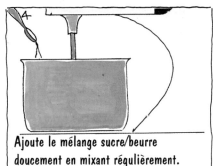

Ajoute le mélange sucre/beurre doucement en mixant régulièrement.

**5**

Tamise la farine. Mélange bien.

**6**

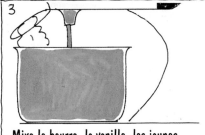

Fais monter tes blancs en neige bien ferme et verse dans ta préparation.

**7**

Verse la pâte dans ton moule. Fais cuire 40 min.

**8**

Laisse refroidir 10 min avant de démouler sur une grille.

Mélange 1¹/₂ tasse de sucre glace avec 1 c. à soupe de beurre et un peu d'eau. Glace ton gâteau avec et décore de pastilles de couleur.

# PETITS CADEAUX CUISINÉS

*Tu vas découvrir avec ces recettes que l'on peut réaliser de somptueux cadeaux à la cuisine, en plus c'est facile et très amusant. Essaye!*

*Voici les recettes pour faire des petits caramels, des carrés de noix de coco bicolores et des truffes au rhum, mais tu peux aussi offrir toutes les autres gourmandises, gâteaux, carrés ou cookies qui sont présentées dans les autres chapitres. Pour les anniversaires, les fêtes ou même Noël, il te suffit de choisir une de tes recettes favorites, de la réaliser et de l'envelopper joliment.*

*Sois bien prudent lorsque tu cuisines une de ces douceurs car les mélanges que tu dois faire sont souvent très chauds.*

*Pour tes emballages cadeaux utilises de préférence des papiers Cellophane transparents ou de couleur, du papier crépon, des imprimés ou mieux encore, décore-les toi-même. Tu peux aussi les mettre dans des petites (ou grandes!) boîtes de carton, des paniers ou des moules décorés. Pense aux rubans de couleurs vives. Amuse-toi à créer tes propres étiquettes avec des papiers ou des cartons découpés et décorés.*

## PETITS CARAMELS

**125 g de chocolat au lait**
**50 g de beurre**
**¼ de tasse de lait concentré**
**3 tasses de sucre glace**

1. Beurre légèrement un moule à gâteau de 20 cm.
2. Casse les carrés de chocolat dans la casserole
3. Ajoute le beurre, mélange doucement.
4. Retire du feu et incorpore le lait concentré
5. Ajoute le sucre glace en mélangeant bien.
6. Dépose le mélange en pressant bien au fond du moule.
7. Mets au réfrigérateur pour faire durcir.
8. Découpe en petits carrés.

Enlève le mélange chocolat/beurre fondu du feu et ajoute le lait concentré.

Incorpore le sucre glace et mélange pour obtenir une pâte épaisse.

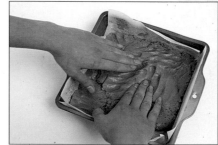

Ecrase de tes doigts la pâte caramel au fond du moule.

## NOIX DE COCO GLACÉE

**2 tasses de sucre glace**
**1 boîte (400g) de lait concentré**
**3½ tasses de noix de coco séchée**
**3 gouttes de colorant alimentaire rouge**

1. Beurre légèrement un moule à gâteau de 20 cm de côtés.
2. Mets le sucre glace dans un grand bol et ajoute la moitié de la noix de coco. Forme un puits au milieu et ajoute le lait concentré.
3. Mélange avec une spatule en bois, ajoute le reste de coco et mélange avec tes mains.
4. Mets la moitié dans un autre bol, ajoute le colorant et mélange bien jusqu'à obtention d'une couleur rose.
5. Presse la pâte rose dans le moule, puis la pâte blanche dessus. Ajuste avec le dos d'une cuillère.
6. Mets le moule au réfrigérateur pendant 1 heure. Découpe en petits carrés.

*Ajoute le lait concentré.*

*Pétri jusqu'à obtention d'une couleur rose*

*Coupe en carrés*

## TRUFFES AU RHUM

**1 tasse de chapelure de biscuits**
**3 c. à soupe de sucre en poudre**
**70 g d'amandes en poudre**
**1 c. à café de cacao**
**2 c. à soupe de chocolat râpé**
**1 jaune d'œuf**
**1 c. à soupe de rhum**
**70 g de vermicelles de chocolat**
**20 collerettes de papier**

1. Mets la chapelure de biscuits, le sucre en poudre et les amandes en poudre dans un saladier.
2. Ajoute le cacao, le chocolat, le jaune d'œuf et le rhum.
3. Mélange pour obtenir un pâte bien lisse et épaisse.
4. Divise le mélange à la cuillère à café.
5. Roule entre tes mains pour en faire des boulettes
6. Et recouvre-les de vermicelles au chocolat
7. Dépose chaque truffe finie dans une collerette.
8. Mets-les dans un récipient fermé au réfrigérateur et laisse refroidir. Tu peux les garder au réfrigérateur pendant 10 jours.

*Divise la pâte à truffes avec la cuillère à café en parts égales.*

*Moule chaque truffe en forme de boulette.*

*Roule chaque truffe dans les vermicelles de chocolat en les recouvrant bien partout.*

# CHAPITRE HUIT

# Biscuits
# et carrés gourmands

Toutes sortes de cookies et de carrés gourmands à dévorer ou à garder dans les boîtes à biscuits. Fais partager à tes amis le super Brownie au chocolat, les cookies au citron, les carrés au chocolat fondant.

# BISCUITS AU CITRON

## POUR 48 COOKIES

¼ de tasse de lait
1 c. à café de vinaigre
125 g de beurre
¾ de tasse de sucre
1 œuf

1 c. à café de zestes de citron râpé
1¾ tasse de farine complète
1 c. à café de levure
¼ de tasse de sel

Deux enfants discutent :
Comment écris-tu
« Père Noël »
avec un L ou deux ?
Avec deux sûrement, sinon,
il ne pourrait pas voler !

**1** Préchauffe le four à 180°. Mélange le lait et le vinaigre dans une tasse. Laisse le mélange de côté.

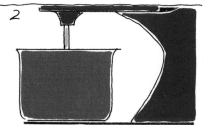

**2** Mixe le beurre, le sucre, l'œuf et les zestes de citron pour obtenir une pâte onctueuse et lisse.

**3** Incorpore la farine, la levure et le sel.

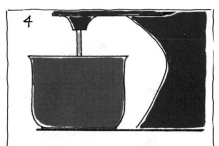

**4** Ajoute le lait et remixe le tout.

**5** Forme des petites boulettes avec la cuillère à café et dispose-les sur la plaque de four à 5 cm d'intervalle.

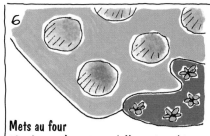

**6** Mets au four 12 min ou plus pour qu'elles soient bien dorées. Fais cuire une plaque à la fois.

**7** Fais refroidir sur des grilles de four.

**8** **Glaçage :**
Mélange ¹/₂ tasse de sucre glace avec 2 c. à soupe de jus de citron.

Recouvre les gâteaux encore chauds et laisse refroidir.

# BISCUITS À LA NOIX DE COCO

**POUR 40 COOKIES**

125 g de beurre
1 tasse de sucre en poudre
1 œuf
1 cuil. d'extrait de vanille liquide
1 c. à soupe de vinaigre blanc
¾ + ½ tasse de noix de coco séchée
1½ tasse de farine avec levure incorporée

1 Préchauffe le four à 180°. Beurre une plaque de four.

2 Mixe beurre, sucre, œuf et vanille pour obtenir un mélange blanc et mousseux.

3 Ajoute le vinaigre.

4 Verse la noix de coco et incorpore la farine, mélange soigneusement.

5 Forme des petites boulettes à la c. à café.

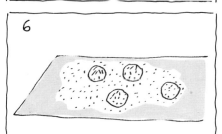

6 Roule-les dans la noix de coco que tu n'as pas utilisée.

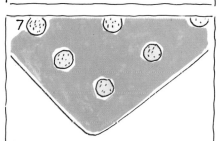

7 Place-les sur la plaque de four à intervalle de 5 cm.

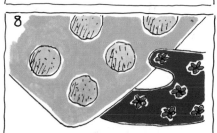

8 Mets au four 15 min ou plus pour qu'elles soient dorées. Laisse refroidir sur une grille.

# CARRÉS AU CITRON

*POUR 40 CARRÉS*

100 g de beurre
¼ de tasse de sucre glace
1 tasse de farine complète

GLAÇAGE

2 œufs
2 c. à soupe de jus de citron
2 c. à café de zestes de citron
   râpé
1 tasse de sucre en poudre
2 c. à soupe de farine
   complète
½ c. à café de levure chimique
1 c. à soupe de sucre glace

**1**

Préchauffe le four à 180°. Beurre un moule à gâteau de 30 x 20 cm de côtés.

**2**

Mixe le beurre et le sucre glace, le mélange doit être lisse et presque blanc.

**3**

Incorpore doucement la farine pour éviter les grumeaux.

**4**

Etale la pâte dans le moule avec tes mains. Laisse au four 20 min. Laisse refroidir.

**5**

Glaçage : Dans un bol bats fermement les œufs, ajoute le jus et les zestes de citron.

**6**

Ajoute le sucre en poudre et les 2 c. à soupe de farine, puis la levure. Mélange bien.

**7**

Verse sur la pâte et remets au four pendant encore 25 min.

**8**

Laisse refroidir.

✳

Saupoudre de sucre glace et découpe en petits carrés.

> *Dans le désert, une petite souris et un éléphant font la course. Soudain la petite souris s'arrête et dit:*
> *« C'est fou ce qu'on fait comme poussière tous les deux ! »*

# CARRÉS AU CHOCOLAT

*POUR 20 CARRÉS*
250 g de beurre
1 tasse de sucre en poudre
3 c. à soupe de cacao
1 œuf légèrement battu
2 tasses de noix de coco râpée
2 tasses de cornflakes nature
2 tasses de farine
2 c. à café de levure chimique
1 c. à café d'extrait de vanille

**1** Préchauffe le four à 180°. Beurre légèrement un moule à gâteau de 30 x 20 cm de côté.

**2** Fais fondre le beurre à feu très doux dans une grande casserole.

**3** Retire du feu. Verse le sucre et le cacao.

**4** Quand le sucre est dissout mélange la noix de coco et les cornflakes.

**5** Incorpore la farine, la levure et la vanille.

**6** Mélange bien pour en faire une pâte lisse.

**7** Étends-la dans le moule en l'écrasant bien.

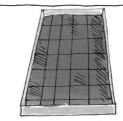

**8** 20 min au four. Laisse tiédir et recouvre de glaçage au chocolat ( p. 91).

# BROWNIES

*POUR 20 BROWNIES*

200 g de beurre
300 g de chocolat à cuire
2 tasses de sucre roux en poudre
1 c. à café d'extrait de vanille liquide
1 tasse de farine
2 œufs
½ tasse de cerneaux de noix

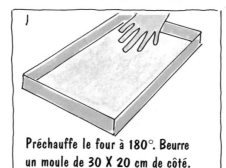
1

Préchauffe le four à 180°. Beurre un moule de 30 X 20 cm de côté.

2

A feu très doux mélange le beurre et le chocolat. Surtout ne fais pas bouillir.

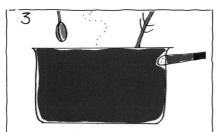
3

Ajoute le sucre et la vanille, mélange bien le tout.

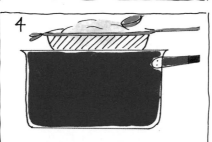
4

Retire du feu. Ajoute la farine et mélange.

5

Ajoute les œufs et fouette le tout.

6

Ajoute les cerneaux de noix brisés en remuant le tout.

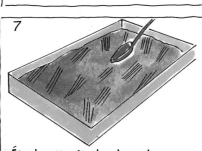
7

Étends cette pâte dans le moule et mets au four pendant 20-25 min.

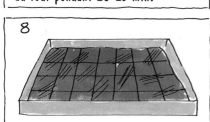
8

Laisse tiédir avant de recouvrir de glaçage au chocolat (recette page 91).

# BISCUITS AUSTRALIENS

**POUR 25 BISCUITS**

2 tasses de flocons d'avoine
1 tasse de farine
2 tasses de noix de coco rapée
1½ tasse de sucre en poudre
250 g de beurre
4 c. à soupe de mélasse raffinée
1 c. à café de bicarbonate de
   soude
2 c. à soupe d'eau bouillante

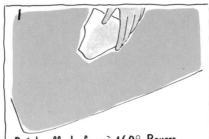

1. Préchauffe le four à 160°. Beurre légèrement plusieurs plaques de four.

2. Mets l'avoine, la farine, la noix de coco et le sucre dans un grand récipient.

3. Dans une casserole mélange le beurre et le sirop d'érable. Dès que c'est bien fondu enlève du feu.

4. Mélange le bicarbonate de soude et l'eau bouillante dans un bol.

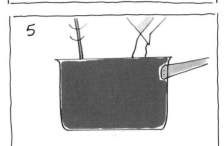

5. Ajoute au beurre fondu dans la casserole.

6. Verse le tout bien chaud dans le récipient en mélangeant bien.

7. Fais des petites boulettes que tu poses sur les plaques à 5 cm d'intervalle.

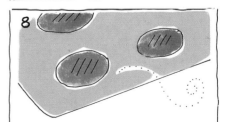

8. Écrase légèrement à la fourchette. Mets chaque plaque 30 min au four.

# CARRÉS SURPRISE

*POUR 24 CARRÉS*

125 g de beurre
½ tasse de sucre en poudre
1 œuf
1½ tasse de farine complète
1 c. à café de levure chimique
½ tasse de confiture de
   framboise

GLAÇAGE
1 œuf
¼ de tasse de sucre en poudre
1 tasse de noix de coco
   séchée

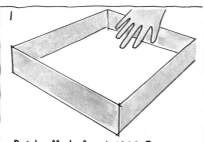

**1** Préchauffe le four à 180°. Beurre un moule carré de 20 cm de côté.

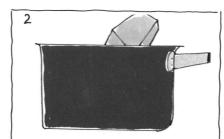

**2** Mets le beurre à fondre doucement dans une grande casserole. Enlève du feu.

**3** Ajoute la ½ tasse de sucre et l'œuf, travaille le mélange au fouet fermement.

**4** Ajoute la farine et la levure et fouette bien le tout.

**5** Verse le mélange dans le moule et recouvre de confiture.

**6** <u>Glaçage</u> : Mets l'œuf, le ¼ de tasse de sucre et la noix de coco dans un bol, mélange bien.

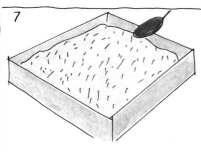

**7** Saupoudre tout le gâteau avec.

**8** Fais cuire pendant 30 min. Laisse refroidir et découpe en petits carrés.

# MUFFINS À LA POMME

**POUR 12 MUFFINS**

2 tasses de farine de blé
4 c. à café de levure chimique
¼ de tasse de sucre roux
1 pomme verte

1 œuf
1 tasse de lait
1 c. à café de zestes de citron
60 g de beurre fondu

*Au restaurant,
un homme se plaint:
- Garçon, il ne vaut
rien votre bifteck !
- Ah! je vois que Monsieur
n'a pas encore regardé
l'addition...*

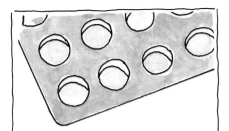

Préchauffe le four à **220°**. Beurre ton moule à petits fours.

2

Verse la farine et la poudre levante dans un bol. Ajoute le sucre.

3

Épluche et râpe la pomme, verse dans le bol.

4

Mélange dans un autre bol : l'œuf, le lait, les zestes de citron et le beurre fondu.

5

Verse le mélange ainsi obtenu dans le saladier et remue le tout à la fourchette.

6

Le mélange aura un aspect grumeleux une fois bien battu.

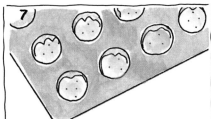

7

Verse le mélange dans chaque moule sans le remplir tout à fait.

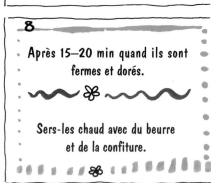

8

Après 15–20 min quand ils sont fermes et dorés.

Sers-les chaud avec du beurre et de la confiture.

# PETITS FOURS GLACÉS

## POUR 30 FOURS GLACÉS

2 tasses de farine avec levure incorporée
¾ de tasse de sucre
125 g de beurre ramolli
3 œufs
¼ tasse de lait
½ c. à café d'extrait de vanille liquide

**1**

Dispose les 30 collerettes de papier sur la plaque à four.

**2**

Tamise la farine et le sucre dans un grand bol.

**3**

Ajoute le beurre, les œufs, le lait et la vanille.

**4**

Mixe à vitesse maximum pour obtenir un mélange lisse.

**5**

Préchauffe le four à 180°.
Remplis les collerettes au ³/₄ de mélange.

**6**

Fais cuire 15 min jusqu'à ce qu'ils soient dorés.

**7**

Laisse-les refroidir sur une grille à four et recouvre-les de glaçage.

**8** •• <u>Glaçage</u>

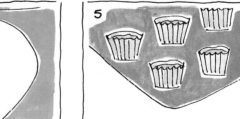

³/₄ de tasse de sucre glace
1 c. à café de cacao
1 c. à soupe de beurre
un peu d'eau chaude pour lisser le mélange.
Glace les gâteaux.

# PETITS PAINS AU SUCRE

## POUR 12 PETITS PAINS

60 g de beurre
½ tasse de sucre roux
} Etape 1
2 c. à soupe de raisins secs
2¼ tasses de farine de blé
2 c. à café de levure chimique

30 g de beurre (Etape 3)
2 bananes mûres, écrasées
½ tasse de lait
30 g de beurre fondu
2 c. à soupe de sucre roux
} Etape 6

*Toujours coupé sur la table mais jamais mangé?*
*Un paquet de cartes à jouer!*

**1** Préchauffe le four à 190°. Mélange 60 g de beurre et la ½ tasse de sucre roux dans une casserole.

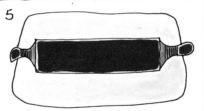

**2** Ajoute les raisins. Verse ta pâte dans 12 moules à tartelettes.

**3** Tamise la farine et la levure dans un bol. Ajoute les 30 g de beurre et malaxe la pâte jusqu'à ce qu'elle s'émiette.

**4** Ajoute les bananes écrasées et le lait. Remue vite pour faire une pâte molle.

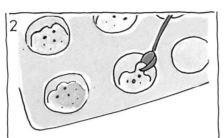

**5** Pétris-la. Etale-la sur une surface légèrement farinée jusqu'à ce qu'elle mesure 20 x 15 cm.

**6** Tartine de beurre, puis saupoudre de sucre roux.

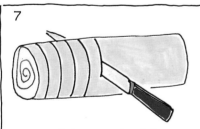

**7** Fais un roulé bien serré (sur la longueur : 20 cm). Découpe en 12 tranches.

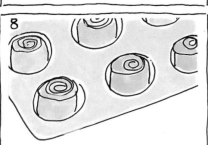

**8** Pose-les à plat sur les moules garnis. Fais cuire 12-15 min.

Toutes les recettes de ce livre ont été testées, nous avons utilisé pour cela les tasses et les cuillères «doses» standard qui sont vendues par quatre dans les grands magasins. «Une cuillerée» signifie une cuillère pleine à ras bord, même chose pour les tasses.
Les œufs que nous avons utilisés pour les recettes pèsent en moyenne 60 g chacun.

## LES TEMPERATURES

Sur les fours à gaz, elles sont indiquées par les graduations du thermostat. Sur les fours électriques, elles sont le plus souvent signalées en degrés Celsius (°C). Le tableau ci-dessous indique les équivalences entre les deux types de four et la nature de la température.

Equivalences :

| Thermostat | °C | Température |
|---|---|---|
| 1 | 100-120 °C | à peine tiède |
| 2 | 120-140 °C | tiède |
| 3 | 140-160 °C | très douce |
| 4 | 160-180 °C | douce |
| 5 | 180-200 °C | modérée |
| 6 | 200-220 °C | moyenne |
| 7 | 220-240 °C | assez chaude |
| 8 | 240-260 °C | chaude |
| 9 | 260-280 °C | très chaude |
| 10 | 290-300 °C | vive |

Demande toujours à un adulte d'allumer le four à ta place. Il faut parfois préchauffer le four, c'est-à-dire l'allumer avant de commencer à cuisiner : de cette façon, il est à la température souhaitée quand on y met les ingrédients. N'ouvre pas la porte pendant la cuisson. Respecte les temps indiqués dans la recette.

# INDEX

Murdoch Books®, Murdoch Magazines Pty Ltd.
213 Miller Street, North Sydney NSW 2060

Author : Mary Pat Fergus
Murdoch Books Food Editor : Jo Anne Calabria
Art Direction and Design : Jan Gosewinckel
Photography : Ray Joyce
Illustrations : Mary Pat Fergus, Jan Gosewinckel
Food Stylist : Janice Baker
Finished Art : Jayne Hunter
Marginal Notes : Jim Bebbington
Index : Juliet Richters
Publisher : Anne Wilson

Titre original : Kid's Cookbook

Copyright © 1997 pour l'édition française :
Könemann Verlagsgesellschaft mbH
Donner Str. 120, D-50900 Köln
Traduction de l'anglais : Marie Carvalho, Paris
Mise en page : Catherine Amarger, Paris
Chef de fabrication : Detlev Schaper
Impression et reliure : Sing Cheong Printing Co. Ltd.
Imprimé à Hong Kong
ISBN : 3-89508-562-6

Dépot légal : juillet 1997